朝日新書
Asahi Shinsho 807

パンデミック以後

米中激突と日本の最終選択

エマニュエル・トッド

聞き手・大野博人、笠井哲也、高久 潤

朝日新聞出版

パンデミック以後

米中激突と日本の最終選択

目次

写真／朝日新聞社

凡例

事実関係、登場人物の肩書などは原則として取材当時のものである。

1 トランプ政権が意味したこと

4年間にわたり、米国と世界を揺さぶったドナルド・トランプ大統領とはいったい何だったのか。フランスの人類学者で歴史学者のエマニュエル・トッド氏は「重要な」大統領だったという。彼がもたらした保護主義と反中国の姿勢は歴史的な転換点になると考えるからだ。「下品で好きになれない」トランプ氏の「逸脱」を読み解き、「米国人なら自分も支持者になるだろう」民主党の思想的混乱をきびしく突く。

トランプ氏は重要な大統領だった

――パリを避ける暮らしはまだ続いているようですね。

コロナ禍のせいでブルターニュ（仏北西部）に閉じ込められているような具合です。なかなか理髪店にも行けず、髪が伸びてしまった。そのうち歌手みたいになりそうです。そっちは？

――日本の状況もだんだんひどくなってきました。フランスなど欧州諸国と比べると感染者数は少ないのだけれど、それでも増え続けていて収まる気配がありません。人々は不安を募らせています。

よくわかりますよ。フランスでも不安の中で生きるというのが日常になってきました。ただ田舎には何もないけれど、庭があって心静かに暮らせる。これは有利な点ですよ。コロナ禍の日々を庭付きの住まいで過ごすか、庭なしの住まいで過ごすか。これが社会を大きく二つの階層に分けるみたいです。

妻も娘も仕事や学業でパリにとどまっているので、自分で料理をしています。たいしたことをしているわけではないですが、ジャガイモをゆでたり、肉を焼いたり、トマトやピーマンでラタトゥイユまがいのものを作ったり……。

あとは、パリ郊外にいる孫とネットを使ってチェスをしたり（この子はけっこう才能があるんですよ）、こうやって日本にいる記者と議論をしたり。とても奇妙な毎日です。

――さて、まもなく米国でジョー・バイデン前副大統領が大統領に就任します。開票をめぐる騒ぎで混乱が続きました。

私はそんなに不安は感じていません。この4年間、米国社会が文化的に崩壊の瀬戸際にあるとか、二つの米国が敵対して統治を不能にしているとか、トランプ氏は、ツイッターなどを使って民主主義を脅威にさらしているとか、さんざん言われてきました。そして、トランプ氏も大統領選で敗北を認めず、言いたいことを言い続けています。けれども、米国は複数政党制の民主主義国です。政治権力に対抗するとても大規模で複雑な仕組みを備えた国です。あの国の民主主義をひっくり返すのは不可能だと思います。

私は、米国の民主主義は、中国の全体主義よりも強固ではないかと感じることがあります。権力を牽制する仕組みがあるわけですからね。

それにトランプ氏が政権に就いている間にも、中間選挙があって民主党が多数派を握った。ちゃんと選挙も行われたのです。

米国の仕組みの奇妙な点の一つは、大統領選挙が間接選挙だということです。たとえば前回の選挙では、トランプ氏は、得票数は少なかったのに選挙人の数をより多く獲得したので勝ちました。今度はバイデン氏がその数でも上回っています。

たとえ、もし票の不正がいくらかあったとしても（私はそうは思いませんが）、バイデン氏が勝ったことはまったく疑いようがないでしょう。今回の選挙は、ちょっと直接選挙の結果みたいでもあるわけです。

共和党も大統領選で負けたからといって、脅かされていると感じる理由はないでしょう。判事の過半数を保守派にしたことで連邦最高裁もコントロール下に置いたわけだし、いわばすでにバイデン政権に対抗する力を手にしているのですから。

——開票をめぐる騒ぎに目を奪われますが、この機会にトランプ大統領とは何だったのかを考えておきたいですね。

私は、トランプ氏の政治スタイルには不快感を持ちます。けれども彼は米国史の中で重要な大統領だったと思います。

トランプ氏が米国政治にもたらした保護主義と反中国という方向は、歴史的な転換点になるはずです。

米国の場合、コロナ禍の前の経済のパフォーマンスはとてもよかった。トランプ政権下で所帯の収入の中央値は急速に上がったし、貧困率が低くなるのも速かった。とくに黒人層はその政策の受益者でもあるのです。

トランプ氏の政策はカタストロフ（大きな破滅）をもたらしたわけではありません。

私は、もしコロナ禍がなければトランプ氏は再選されていただろうと思います。経済は好調だったわけですから。あるいは、もし彼が最高裁の判事に原理主義的なカトリック教徒ではなく、ヒスパニック系の人材を任命していたら、勝っていたかもしれませんね。これはトランプ氏の戦略的なミスでしょう。ヒスパニック系の人たちの3分の2は民主党に投票しますが、それほど固い支持ではないのですから。

私は、彼の政治スタイルについては議論しません。あのとても不快なスタイル。率直にいうと、私もフランスのエスタブリッシュメントの家庭に生まれた人間です。トランプ氏のスタイルは好きになれません。それでも、トランプ氏は米国の歴史の中で重要な大統領だったのです。

トランプ氏、弾劾裁判にて「勝利」宣言。2020年２月６日撮影

時代が求めた「逸脱した」人物

――あなたは仏ラジオでのインタビューでも、トランプ氏は米国の歴史の中で重要な大統領だ、けれども偉大な大統領ではないとコメントしていましたね。私も彼の政治手法にはかなり抵抗がありました。

政治が大きく変わらなければならないときの問題は、考え方、イデオロギー、よい政治とは何かについての基準をどうやってひっくり返すかということです。

どの時代にも支配的な考え方があります。19世紀には、国家は後方に退いた方がいいというリベラリズムが広がり、1914年の第一次世界大戦や29年の世界恐慌へとつながっていきました。

それに続いて、国家中心の考え方への転換がありました。第二次世界大戦からその後にかけて多くの国で支配的でした。

それがまた変わったのは、米国のレーガン大統領、英国のサッチャー首相とともにネオリベラリズム、経済的な新自由主義が登場したときです。

そして今、人々は「グローバリゼーション・ファティーグ（疲れ）」に苦しみ、時代は新しい局面に入ったのです。再び国とか国民という場所に再結集しようとする局面です。

しかし問題は、どんな政治家ならこんな転換を担えるかということです。右でも左でも政界には大勢順応的な人たちがうようよしています。だから、これまで通りの考え方から抜け出すには、よくも悪くも少々逸脱した人物、いささか例外的な人物が必要になるのです。

転換をなしとげた政治家に米国のフランクリン・ルーズベルト大統領がいます。彼がやったのは経済への国家の介入です。

彼はある意味で貴族的な家系の一人です。もちろん米国に貴族はいませんが、すでに一人大統領を出している家系なのです。つまり彼はエスタブリッシュメントの家系の出身でした。それでも独特の考えを持った人物で、彼の政治に異議を唱える声は大きかった。

レーガン大統領はかなり変わったところから出てきました。もともと映画俳優でした。だから大統領になったときはみんな馬鹿にしました。カウボーイが、ってね。人気はあるかもしれないけれど、俳優だろう、と。

黒人のオバマ氏が大統領になったのも驚きでした。実は経済政策で保護主義的な転換を始めたのは彼です。景気対策に、米国製品の購入を求めるバイ・アメリカン条項を盛り込みました。ただその方向にもっと突き進むことをためらった。黒人だということもあったのでしょう。

考え方、イデオロギーの転換が必要になると、そういう少々例外的な指導者を求める動きが起きるのです。だから米国大統領にも、ときどきそれらしくない人物が選ばれているのです。それまでの時代からのほんとうの断絶、転換をもたらしたのは、まったく大統領らしくない人物だったのです。

トランプ氏も「らしくない」人物です。億万長者で、テレビタレントで、下品で粗雑。

それでも、エスタブリッシュメントとはちがった考え方ができた。

だから「米国は全然うまくいっていない」なんて言うこともできた。自由貿易は米国の産業を壊し、中国との競争は米国人労働者の危機をもたらす、と。これはとても単純な考え方です。こんなことを考えるのにそんなに知性が必要なわけでもありません。けれども、米国の政治の世界で、あえてそれを口にするというのは、完全に逸脱した人物でないとできないのです。

ただ、大事なことについてふつうの考え方から逸脱したことを言って許されると、ほかの領域でも常軌を逸したことを言い出すようになってしまいますけどね。トランプ氏の場合、それは新型コロナウイルス問題対策についての姿勢がそうでした。

――逸脱した人物はしばしば、諸刃の剣になるということですね。

世界恐慌のとき、西欧諸国のエリートたちはリベラリズムという考え方に凝り固まっていました。彼らが思いつけたことと言ったら、国家財政の緊縮だけでした。当時、世界的に需要が崩壊していたというのにです。

ドイツのリベラル主義者たちもそう考えた。そして失業率が高まるままにしてしまった。そこに、こんなことは馬鹿げている、国家がなんとかするべきだ、と言って登場したのがヒトラーです。そして大規模な公共工事をやり、軍備も進めて、数カ月で失業率をほとんどゼロにした。

ヒトラーはもちろん完全に常軌を逸した人物でした。でも、その彼は、経済的な現実をとてもシンプルに見ることができ、とても効果的で恐るべきやり方でものごとを行動に移すことができる人物でもあったのです。

私は英国の経済学者のケインズを尊敬しています。彼も自由貿易主義者でしたが、自分は考え方を変えたと言いました。彼は自分の誤りを認めることができる人でした。そして『雇用・利子および貨幣の一般理論』では、経済を立て直し、雇用の問題を解決するために国家が乗り出すことを正当化しました。

さて、この本が出版されたのは1936年です。ヒトラーが政権を握ったのは1933年で、本が出版された頃にはすでに失業率をほとんどゼロにしていたのです。

資本主義を救うためには国家が必要だという考えを西欧のエリートたちが受け入れられるようにするための見栄えのいい装い。それがケインズの「一般理論」だったと、私は思うのです。

残念なことですが、思想的な行き詰まりを突破するためには逸脱が必要なのです。まあ、ルーズベルトのように逸脱はしていてもいい人もいました。家系的な毛並みもとてもよかった。ルーズベルトみたいな人は日本では受け入れられやすいのではないですか。アベノミクスをやった安倍晋三氏も毛並みがいいのでしょう。

でも逸脱できる人にはそんな感じのいい人ばかりではなくて、危ない冒険主義者もいれば、妄想にとりつかれる者もいる。で、米国にはトランプ氏がいたというわけです。

「上品な」装いのトランプ政策を

――あなたは、トランプ大統領はバラク・オバマ氏の後継者であったとも語っていますね。

オバマ氏はとても知的な人です。黒人大統領という米国政治の一種のタブーを打ち破った人です。知的で勇敢でもあります。

彼にはすでに、地政学的には欧州よりもアジア太平洋に軸足を移すべきだという考えがありました。中国や太平洋地域の問題に向き合う必要がありましたから。米国はもはや世界の主ではないので、欧州や中東からは手を引いていくべきだとも考えが及んでいました。もうブッシュ大統領やクリントン大統領の時代からは抜け出さなくてはならなかった。

けれども、彼は黒人であるがゆえに「よき米国人」であることを示さなければならなかった。オバマ氏の行動には、そういう意味でどうしても限界がありました。彼はもっと遠くまで行くことができなかったのです。だから民主党の伝統にしたがって、むしろオバマケアといった保健医療の領域などに焦点を合わせた。それ自体はとてもいいことではありましたが。

――新大統領のバイデン氏には何を期待しますか。

今、望むのは、ヒラリー・クリントン氏が示したような、自由貿易を重視する馬鹿げた考え方に戻らないことです。政権を握った民主党には、トランプ政権の最良の部分を引き継いでもらいたい。そして、それに上品で礼節をわきまえた装いを施してほしいのです。

トランプ氏はほかの国々との関係でも、経済的な合意などを一方的に交渉もせず乱暴に破棄するといったようなことをしました。けれども、それはバイデン氏の外交スタイルではないでしょう。

バイデン氏自身はとても高齢です。世界について考えることができるだろうかと、疑問を呈する人もいる。一方で、彼は知的なひらめきのある人だとも聞きます。バイデン氏のプログラムにもすでにある程度は米国優先ということが見られます。彼がほんとうに何を考えているか知るのは難しい。バイデン政権に何ができるか、まだよくわかりません。

ただ考えておかなければならないのは、民主党の支持層はかなり多様で異質な人たちの集まりだということです。

まず高等教育を受けながら奨学金の返済に苦しむ白人の若者がいる。黒人の支持層は、ブルジョワになった人もいる一方で、大多数はまだ最も恵まれない階層に属しています。この階層にはヒスパニック系も多い。他方、アジア系はより豊かな階層に属します。人種別に見ると白人層よりも豊かなくらい。

支持者たちの利害はかなり異なります。

また党内左派のバーニー・サンダース氏を支持したのは高学歴の若い人たちで、黒人はユダヤ系のサンダース氏をあまり支持しない。

それに、社会的に低い地位にあるヒスパニック系の人たちの利益を経済的に代表するとしたら、皮肉なことにそれはむしろトランプ政権ということになりそうです。保護主義政策は彼らにとって有利になると思われるからです。

つまり、バイデン氏を支持した人たちの利害はかなり異なるのです。

高い学歴を持った人たちと所得の高い人たちによる寡頭支配という体制はこれまでのグローバル世界ではうまくやってきた。もし、コロナ禍のあともグローバル経済が前と

米大統領就任式で宣誓するバイデン大統領。2021年１月20日撮影

同じように回復すれば、またうまく適応していくかもしれない。けれどもそれは確かではありません。

——トランプ大統領の支持層にはもう少し共通点があったのですか。

世論調査によると、大統領選挙での投票判断の動機について共和党支持者はほぼ一致して「経済」と答えています。

重要なのは経済！　彼らの考え方は、マルクス主義者みたい。共和党支持者の支持層は、白人の唯物論者のようです（笑）。

実はトランプ的な政治という点でいうならば、それは前から存在していました。共和党は、ある意味で文化的な同質性を体現していました。白人の党だということです。

ニクソン大統領とベトナム戦争のころ以来、共和党の歴史で原動力になっていたことですが、トランプ氏は、白人労働者層の支持を再び共和党の票に取り込むことに成功したのです。彼はいわゆるラストベルトに食い込んだわけです。

今回は、低賃金の労働者が多いこの地域でも後退しました。でも完全に打ち負かされたわけでもありません。

トランプ氏自身が政権に就いたときに抱いていたのはきわめて単純な考えです。一つは、メキシコからの移民は止めなければならない、経済的な政策が必要だということ、そして中国は闘うべき相手だということ。とても単純です。加えて忘れられがちですがドイツも問題だと考えていました。

ただトランプ氏の支持層について学歴が高くないと指摘されますが、その傾向はそれほど強くはありません。大卒レベルの高等教育を受けた人も半分くらいは彼に投票したでしょう。違いがはっきりしているのは、教育レベルがさらに高い人たち、つまりとても質の高い大学を出た人、博士号を持っているような人たちです。この人たちはほとんどが民主党支持者です。

経済から離れてしまった民主党の主張

――バイデン氏への支持の動機は、経済が大きかったわけではないですね。

バイデン支持者を見ると、その投票の決定的な動機は二つあります。一つはもちろんコロナ禍でのトランプ批判です。

トランプ氏は、この問題を軽視したツケを払う羽目になりました。彼は新型コロナウイルスに対して、強気で挑戦するような姿勢を誇示しました。

自分も感染して、最先端の治療を受けて回復すると、ウイルスに立ち向かった超人みたいに振る舞いました。現実を理性的に直視しなければならないときに、なんだか英雄がドラゴンをやっつける中世の物語でも見せられているような印象を人々は受けたわけです。

やっぱり逸脱した人物なのですよ。英雄気取りの態度を人々はどうかしていると感じました。

もう一つのバイデン支持の動機になったのは、人種という基本的な問題です。警察の人種差別的な振る舞いがあり、それに対してブラック・ライブズ・マター運動が起きました。

でもこれはある意味で悲しいことでもあります。というのも人種というテーマは、肝心の経済問題に解決策をもたらすわけではないから。問題が経済から外れてしまうのです。バイデン氏の勝利は、現実から外れることとつながってしまったのです。

——どうしてでしょう。

トランプ氏は、米国は経済的に苦しんでいるから、世界経済との関係を変えなければならないという考えの候補者でした。これは実現可能な次元の話です。

これに対してバイデン氏の主張は、あいまいで不確実な世界への回帰を意味していました。コロナ禍というまったく新しい事態になったのですから、世界が不確実になるのは当然です。社会に不安を生み予測がつかなくなりました。

さらにそれに加えて、非現実的なのは人種という視点です。民主党は、反人種差別運動を通して人種政策をトランプ氏の経済についての考え方に対抗させました。私は、これは罪作りなことだったと思います。汚いやり方です。

トランプ氏はヒトラーではありません。そんな風にたとえるのは気をつけるべきです。

私は、ワシントンポストやニューヨークタイムズなどの米有力紙とはちがって、トランプ氏が人種差別主義者（レイシスト）だとか黒人排斥主義者だとはまったく思いません。トランプ氏がいちばん標的にしていたのはメキシコ人なのです。彼は外国人嫌い（ゼノフォーブ）なのです。メキシコ人だけでなく、中国人も、ヨーロッパ人も嫌った。しかし、黒人は彼の標的ではないのです。

けれどもトランプ氏は、ブラック・ライブズ・マター運動に関して自分の支持層を否認することはできなかった。もちろん人種差別は米国社会が抱える根本的な問題です。

今でこそ、異人種間の結婚は見られるようになりました。上位の階層では出てきています。たとえば大学で先生をしているような白人の男性が黒人女性と結婚するということはある。それはとても安定した結婚生活になるようです。けれどもそうした結婚の割合は全体としてはまだまだ低い。人種という視点でものごとを考えようとしない人であっても、たとえば黒人女性と結婚して子どもをつくったら、その子どもは社会的に黒人とみなされます。

人種問題が大統領選のテーマとして浮上したときから、民主党は、黒人差別は重要な問題だと訴えました。けれども、トランプ氏は「たしかに共和党の支持者たちの黒人への態度はひどいし、警察官たちは悪い米国人だ」なんて言うわけにはいかなかった。それを言ったら、彼は葬られたでしょう。

民主党の政治的な計算でしょうが、このやり方はひどいと思う。

単に道徳的な問題ではないのです。日本で人口動態問題が本質的な問題であるのと同じように、米国ではある意味で黒人差別は本質的な問題です。人種によって人々の態度が変わり歴史がつくられるという社会のあり方から抜け出す。それは米国の最も重要な課題です。

まちがった意識、迷走する意識
――人種は政治論争のテーマにしにくいと?

黒人の投票行動を分析すると、87%がバイデン氏に投票しています。性別で見ると、男性より女性の方が高い。黒人男性の18%はトランプ氏に投票しました。黒人男性は黒人女性より政治的に自由度が少し高いと言えるでしょう。男性は白人との結婚についても女性より開かれています。

――「自由度が高い」？　黒人の投票行動にはあまり自由ではない面もあるということですか？

黒人社会は、経済的に階層化されつつあります。だとすれば、豊かで恵まれた黒人も貧しい黒人も同じようにシステマティックに民主党に投票するというのは、政治的に自然でも正常でもありません。

なんだか逆説的ですが、民主党は選挙で黒人を服従させているみたいだなんて考えも頭に浮かびます。だって黒人が、選挙では民主党の支持層の中に閉じ込められているように見えるのですから。

――あなたは前回選挙の前、大方の予想とはちがってトランプ氏が当選する可能性を指摘していました。そのときに、たとえトランプ氏が逸脱した人物であるとしても、彼を支持する人たちの反乱には理がある、と話していましたね。

それは人々が自分や社会をどう意識しているかという問題に関係します。受けた教育の水準という視点から見ると、トランプ氏に投票した人たちは低かったといわれます。実際は、バイデン支持者の中にも同じように学歴が低い人たちはいたのですが。

いずれにしろ、世論調査で問われると、トランプ支持層の人たちは経済問題を最重要課題として答えています。明晰です。経済的には誤った意識を持っていません。トランプ支持層の人たちの中には、黒人に対する差別意識を持っている人たちもいるのですから、あらゆる誤った意識から解放されているというわけではありませんが。

逆に、バイデン氏の支持者で、学歴がとても高くて生活が豊かな人たちはどうか。愚かだと言いたくなります。少なくとも道徳的ではないでしょう。なぜなら、社会に対して責任あるエリートとして振る舞っていないからです。

また87%がバイデンに投票した黒人もまた誤った意識の中にあると思います。だって、黒人の多くは明らかにトランプ氏のやったような保護主義的政策の受益者なのですから。

黒人は、トランプ政権下で生活水準がもっとも向上したカテゴリーなのです。にもかかわらずそのほとんどが反トランプ票を投じました。これはまちがった意識から来ているのです。私にはつじつまの合わない投票行動に思えます。

米国の人種差別問題は、フランス人の私から見ると不条理です。たとえば、フランス人の男が結婚相手を選ぶとき、ほかの条件が同じなら、それほどでもない白人女性より美しい黒人女性を選びます。これはフランスの伝統にかなうことでもあります（笑）。だからフランスでは異人種間の結婚がとても多い。フランスの場合、黒人に対する人種差別問題はない。あるのはイスラム教徒に対する差別問題です。

フランス人のことはさておき、バイデンの支持層はトランプの支持層よりもずっとまちがった意識の中にいるのです。

宗教や人種や民族への理にかなわない感情、まちがった意識が見えることがあります。たとえば、米国における黒人たちの場合、まちがった意識が見られるのはその反ユダヤ主義です。クリントン氏が選ばれた前回の大統領選の予備選で、サンダース氏の敗北を決定づけたのは黒人票でした。私は、それは黒人の反ユダヤ主義によると思っています。サンダース氏はユダヤ系です。

各種世論調査でも、米国の黒人は反ユダヤ主義的だということははっきりしています。これもまた米国政治の奇妙なところです。というのも１９５０年代、60年代に繰り広げられた黒人の権利を求める公民権運動で、ユダヤ系の人たちは圧倒的に黒人の味方だったのですから。

人はまちがった意識の中で理にかなわない振る舞いをすることがあるのですが、この点で米国の民主党支持層は、共和党の支持層よりもずっと奇妙なのです。

――大統領選挙では、保守的なキリスト教福音派がトランプ氏を支持しました。米国では信仰はまだ強いのでしょうか。それとも社会から退場を迫られている宗教の「断末魔」でしょうか。あなたは９・11米国同時多発テロが起きたとき、過激なイスラム主義は近代化する社会から取り残されつつある価値観の「断末魔」の現象だと指摘していましたね。

それは米国の思想的ヒステリー状態を考えるうえで重要な視点です。

日本や欧州で人々が宗教離れしたあとも、米国では教会に足を運ぶ信者が少なくなかった。しかし2000年代には減っていきました。欧州や日本と同様に無信仰の社会になっていった。そしてこのことが思想的なヒステリー状態の説明にもなります。

米国ではとくに宗教的帰属意識が個人を共同体に結びつける役割を果たしていました。宗教離れは社会秩序の解体につながります。その不安と混乱から政治的なテーマに向かう人も出てきます。

人種差別への抗議運動もそのことと関係あるかもしれません。教会での礼拝のような宗教的実践をやめている若者の世代にとって、あの運動は宗教に代わる社会参加になっているのでしょう。つまりゾンビのようになったキリスト教信仰かもしれない。

また、その前の世代の保守的な信徒の振る舞いは、社会の宗教離れに先立って起きる態度硬化の現れではないでしょうか。歴史社会学的に見ればイスラム教での原理主義と似た現象でしょう。

「トランプ排除」は政策にならない

――多くの国で社会の分断が深刻化しています。米国でもトランプ氏は国民を統合する指導者の役割を放棄して、分断し続けたように見えました。

それはちがうと思います。たしかに対立する文化が米国にはあるでしょう。けれど社会の統合が将来に実現するべき目標だとしても、トランプ氏の勝敗とは関係ない。もしトランプ氏がもっと礼儀正しく振る舞い、その経済政策がまっとうなものだと人々に認められれば、彼の政策は、米国社会を統合するのに役立っただろうと思います。米国社会を分断し解体する脅威はどこにあるか。それは自らを少数者（マイノリティー）たちの政党と定義する民主党の政治の中に見ることができます。

そこで示されているのは、高学歴で高収入の寡頭支配層の人たち、高等教育は受けたけれど貧しい白人の若者たち、そして黒人、ヒスパニック系、アジア系の大集団などが集まった米国です。これでは統合された社会像になっていません。

民主党が示すような多民族、多人種社会のプロジェクトは、実現しないと思います。この問題は政治を超えているのです。

民主党の描く像について、私はハンニバル将軍指揮下のカルタゴ軍を連想します。すごい軍隊でローマ軍を何度も打ち負かしています。この軍隊は多様で雑多な民族で組織された連合軍でした。それが勝利をもたらしましたが、最終的に一体となることはありませんでした。対するローマの軍隊は、ローマに統合されたイタリア諸都市の人々で組織されていました。最後に勝ったのは、高い次元での団結を示していたローマでした。

これはイメージにすぎませんが、いずれにしても民主党がめざすという一つになった米国社会というのが、どういうものだかよくわからないのです。

結局、今回の選挙でバイデン氏への投票はトランプに反対するための投票でした。でも、トランプ氏を追い出すというのは、政策ではありません。悲劇はそこにあります。この4年間、米国のエスタブリッシュメントは、トランプ氏さえ片付ければ十分だと信じていたのです。

もっとも、こんなきつい言い方をしてはいますが、もし私が米国人ならあきらかに民主党左派の支持者です。サンダース派になっていたでしょうけどね。

いずれにしてもトランプ氏は政権を去ります。それに4年後は年を取り過ぎている。ここで政治についてのフィクションを書くとするなら、おもしろい話になるかもしれません。トランプ家というのが政治家の家系として登場するかどうかについて書くのです。彼には息子がいて政治にも関係して学んだ。

もし民主党が、効果的で現実的な政策をつくり出せなかったらどうでしょう。そんな政策を民主党はつくれるはずです。だってトランプ氏がやったような政策をやればいいだけですから(笑)。

けれども、それができなかったら、次の大統領選挙で対立候補としてトランプ氏の息子と張り合うリスクに直面します。米国にはブッシュ親子の例もありますし、ケネディ家も政治家の家系です。ありえないわけではありません。それにトランプ氏の息子は、父親より教育レベルが高いでしょう。つまり民主党は、対立候補として父親ほどには下品ではない二人目のトランプ氏と向き合うことになるのです。そうなると興味深い状況です。まあ、これは政治的なフィクションですがね。

分断を進めたのはトランプ氏か？

――社会の分断は、経済問題に深く根ざしているとしても、トランプ氏自身も意見が一致しない人、官僚やジャーナリストなどを敵と見なしていました。

あなたが言うジャーナリストや官僚は、米国のエスタブリッシュメントです。申し訳ないけど、トランプ氏が彼らを憎み嫌うのにはそれなりの理由があります。だって、彼が大統領になって以来、ニューヨークタイムズ紙やワシントンポスト紙は彼にまったくチャンスを与えなかった。批判するばかり。この間、両紙に加え英国のガーディアン紙も読んでいましたが、トランプ氏についての記事は、あきれるような内容でした。

だからトランプ氏はこうした人たちをどんどん嫌うようになっていったのです。これは自然な感情でしょう。

私は政治家ではありません。知識人の家系の出身です。恵まれた環境で育ちました。エスタブリッシュメントの子どもです。その私は、トランプ氏の振る舞いを耐えがたいと感じます。米国のラスベガスでトランプ氏のホテルに泊まりましたが、品がなくてぞっとするようなところで、清潔でもなかった。私だって、トランプ氏を私なりに批判することはできる。

それでもフランスを今日統治している人たち、エマニュエル・マクロン大統領や閣僚、また、みんなではないけれど多くの知識人、経済学者、ジャーナリストら、フランスの上流階層、エスタブリッシュメントと、この25年間むなしく闘ってきた私から見ると、米国のエスタブリッシュメントと向き合うトランプ氏はちょっと似たところがあるかもしれないと思うのです。私もそんな人たちにうんざりしました。その結果としての言動が、私と彼で同じになるわけではないですが。

エスタブリッシュメントを攻撃したからといって、米国社会を分断することにはなりません。ただエスタブリッシュメントを攻撃しただけです。でも、そのエスタブリッシュメントの方こそ大統領から攻撃されて自らを振り返ったでしょうか。振り返らなかった。それが悲劇なのです。今の米国に必要なのは、ほんとうに賢明なエスタブリッシュメントです。

──意見がちがう官僚を切ったことについてはどう思いますか。

問題はそれが合法的かどうかということに尽きます。それが違法でないなら、政治的に合わない人を解雇する権利はあります。

しかし、選挙後にはそんなことをしてはいけないでしょう。彼は選挙で負けたのですから、自分が去るべきです。選挙結果には従わなくてはいけません。

ただエスタブリッシュメントの人たちが、最良の教育を受けているからといって、自分たちの方がトランプ氏よりも米国民にとって何が良いのかを判断する道徳的な権利があると考えるとしたら、それはちがう。いい教育を受けたとか、恵まれた家庭に育ったからといって、より知的だということにはなりません。知的だというのなら、それを具体的に示さなければ。

ふつうの人々を民主主義への脅威のように見なす本を書く学者がいます。そんな本を読みましたが、愚かな内容だと思いました。自分のエリート主義的な情念を使って、民主主義という理念そのものを破壊しようとしているのです。

そんな本に見られるように、米国のエスタブリッシュメントの振る舞いは非民主的だったと思います。これがトランプ氏にとっての問題だったのです。

民主主義というのはいつもクリーンなわけではありません。これまでの本でも書いたことですが、民主主義とはその始まりにおいて、他者排斥の要素を含んでいました。民主主義とは特定の人たちが自分たちだけでつくり上げる仕組みだからです。周辺のほかの人たちに対抗し、国境を管理します。

たとえば米国人は米国人のものだ、だれもが米国人なわけではない、といった考え方はすてきではありません。地球という惑星全体にとってすばらしい考え方でもないでしょう。でも、それが民主主義なのです。

そんな民主主義を拒む権利はあります。民族単位の民主主義はいやだ、普遍的な帝国を支持する、ローマ帝国やワシントン・コンセンサスの方がいい、グローバルなエリートによって統一される世界を支持する、と主張する権利はあります。けれども、そうやって統合された世界は、民主主義ではないでしょう。反民主的です。そんなものは組織だった寡頭制です。それが民主主義だなんて、嘘を言ってはいけません。

――グローバル時代の政財界の指導者やエリートが集まって世界にご託宣をたれる「ダボス会議」を思い出します。

そのとおり。あそこに集う人たちは、自分たちこそ最良の世界を代表していると思っているかもしれません。けれど、それが民主主義だという権利はまったくありません。政治的な対立の中で、価値観と現実とは区別することが必要です。

――あなたが米国のニューヨークタイムズ紙やワシントンポスト紙について批判するのを聞きながら、自分のことを考えました。退職しましたが新聞記者をしていました。私が批判されているように感じました。

あなたを批判するつもりはありませんよ。私自身もルモンド紙の文化面の仕事を7年問したことがあるし、自分の父親も大物記者でした。記者の世界はよく知っています。

この前、ブルターニュの友人とテレビ番組を見ていたら、友人がジャーナリストのことを化け物みたいに話すので、私はいくら何でもそれは言い過ぎだとたしなめました。あの記者はいいやつだし、この記者とは友だちづきあいもしているし、と。私は、問題はメディアのシステムの結果なんだって言いましたよ。

中国の脅威を暴いたコロナ禍

——次に中国についてあなたの意見を聞かせてください。コロナ禍に関して、あなたは中国に批判的ですね。それはあの国が新型コロナウイルスの発生源だからですか。

発生源だからというわけではありません。コロナ禍によって、中国の脅威、とりわけ民主主義と自由への脅威がはっきりしたからです。

コロナ禍は、その対応が各国で異なることを見せつけました。人類学的におおまかにいうと、女性の地位が高い自由な国々が、あまりうまく対応できませんでした。米国ではトランプ政権で問題が深刻化して、今もひどい状態にあります。米国の場合、個人主義的な面も影響しているでしょう。英国もフランスも南欧の国々もかなり苦しむことになりました。

一方、ドイツはもっとうまく対応していました。日本だって、今は不安の中にあるかもしれませんが、感染の広がりを比較的抑えています。日本やドイツは、社会秩序がしっかりしているし、人々も規律正しい。

中国についていえば、日独などよりもっと強い秩序がありました。あの国は、全体主義体制だからです。だから、今回のコロナ禍のような危機をよりうまくコントロールする備えができているのは、全体主義システムの方だということが確認されました。

このことで私たちは挑戦を受けることになりました。警戒しなければいけません。歴史はひょっとしたら、全体主義国が持っている武器を民主主義諸国が持ち合わせていないという時代に入りつつあるのかもしれないからです。

ちょっと1930年代に似ています。ヒトラーのドイツやムッソリーニのイタリア、軍国主義の日本、スターリンのソ連の時代です。国家の介入が必要な時代でしたが、あきらかに全体主義的な強権国家の方がそれに対応する態勢が整っていました。ソ連は1929年の世界恐慌の影響を受けませんでした。ドイツはその危機から早く抜け出した。うっとうしい話ですが。

ただ、新型コロナウイルスについてあんまり大げさに考えるのはよくないかもしれません。いくつかの点では感染症は幻想でもあるからです。必ずしも社会をほんとうに弱体化するわけではありません。というのもこの病気が命を脅かすのは基本的に75歳以上の高齢者だからです。私ももう70ですので、こうやってブルターニュの小さな家に逃げてきています。死ぬかもしれない環境は避けた方がいいですから。

で、自分自身も高齢者だから言わせてもらうわけですが、進歩した世界が抱える問題の一つは、人々が高齢になってきたことです。高齢者人口の増加は、先進社会のブレーキになってきました。だとすると、新型コロナウイルスが高齢者の命を奪ったとしても、社会にとって深刻な打撃にはなりません。

だから1930年代の民主主義国と全体主義国のちがいほどには劇的な意味を持つわけではありません。でも、これは考えるべき問題ではあります。

またコロナ禍で、私たちは中国への物質的な依存度の大きさに改めて気づかされました。フランスの場合は恐ろしいほどです。医薬品の生産さえもそうなのです。だから、これは転換点です。

私は前から、大国としての中国に批判的でしたが、コロナ禍で同じように考える人も増えたのではないでしょうか。つまり、世界は中国を制御するための態勢を整えるべきだという意識を広めるのに、コロナ禍はアクセルになるでしょう。

ここで言っておかなければいけないと思うのですが、これこそトランプ氏の歴史的な勝利です。彼が初めて中国は問題だと言ったのです。まず経済的な面で。さらに米国の地政学者たちが、中国は問題だということを認め、そして今は、欧州も日本も。もっとも日本は中国が脅威だと今更学ぶ必要もないだろうけれど。

ヨーロッパ人は今回のことで、中国が問題だということを認めざるを得なくなりました。医薬品をはじめさまざまな物資の供給という点で。そして自由への脅威として。中国は新しいテクノロジーを使って監視社会の体制を作りあげつつあります。これはとにかく受け入れがたいことです。

今の中国は中国人が自分で作った社会です。人類学者としていうならば、中国人に自由になることを強制する気はありません。しかし、国際社会の中では中国は抑え込まなければならない。実際、そういうことになるでしょう。

米国はロシアを中国から引き離せ

――中国の脅威を押し返すには何が必要ですか。

米国には、ロシアと敵対するのをやめて中国から引き離す戦略に転じてほしい。ロシアはほかのどの国よりも中国を恐れています。そのことを理解しなければなりません。日本と同じようにロシアも隣国として中国に脅威を感じているのです。

もし、優れた米国の大統領が（今のところバイデン氏がそうなるかどうかわかりませんが……）、ロシアを中国から引き離し、友好的な関係を結べば、最先端の軍事技術を中国から遠ざけることができます。

ただ私は中国が世界を支配する国になるとまでは思っていません。中国の優位は一時的でしょう。

——中国が人口動態上の弱みを抱えているからですか。

そうです。中国は約14億の巨大な人口を擁しています。しかし人口動態という点では、ものすごい速度で変わりつつあります。年齢構成が異常で、それが急速な高齢化につながっているのです。これまでは人口ボーナスのおかげで、生産年齢人口にも恵まれましたが、その人たちが社会保障制度もないまま年老いていくのです。

そんな状況をさらに深刻にしそうなのが、中国社会の伝統への回帰です。人々はたくさん子どもを持とうとはしなくなり、しかも持つ場合は男の子の方をほしがっています。そのために子どもの性によって選択的に中絶をします。その結果、たくさんの中国人男性が結婚できないということになります。よそから女性に来てもらうにしても、あの巨大な人口ですから、ことは簡単ではありません。

中国の現状はよくないのです。

他方、教育面を見ると、教育レベルはほかの先進国に比べてまだ低い。高等教育を受ける人はまだ15％くらいです。けれども約14億の15％です。相当な人数になります。だから中国は二つに引き裂かれています。高い学歴を持つすごい数の人材によって世界レベルで行動する大国でありながら、国内では不均衡に苛まれている。

奇妙なことですが、中国は対外的には世界の大国でありながら、対内的には脆弱なのです。


――中国共産党が全体主義的な体制を強化しているのは、国内に抱える問題への批判や不満が噴き出すのを恐れて抑え込もうとしているからでしょうか。

人類学者としての私の専門分野である家族構造と社会の関係分析から考えると、中国の権威主義的全体主義的体制は、ただ単に悪い指導者がいるからそうなっているという話ではないのです。中国人自身も教育などによる伝統の継承などによって、権威主義的な気質を身につけているのです。だから、中国には全体主義的な力学が働いている。それは共産党とは関係ありません。共産党や軍や警察は、その体制の恩恵に浴していますが、その体制を創造したわけではありません。もし、中国の権威主義的全体主義的力学の起源を知ろうとするなら、紀元前200年〜紀元後200年ごろの中国での共同体的な家族の登場にまで遡る必要があります。

――家族構造などの人類学的な条件が、今の政治体制の根にあるということですね。

たとえばフランスとドイツを比較する場合、フランスは個人主義的な傾向が強く、あまり規律正しい国ではありません。コロナ禍でも人々に外出規制するには、証明書などで管理しなければなりません。でも、ドイツはそんなことをしません。人々は規律正しい。

ドイツでは日本と同じように、人々は信号を守るでしょう。

問題解決能力がないのに力を増す「国家」

――でも前回話したときは、あなたは「フランス人も規律正しく振る舞っている」と言っていましたね。

たしかに第一波のときはすばらしかった。みんな怖かったですからね。どんな対策をとればいいかもわからなかった。でもね、第二波になってからはだれも規律を守っていません。

――ええっ、そうなんですか。長引くコロナ禍は、フランスの政治と社会についてもさらに問題を浮かび上がらせているのでしょうか。

政治的にはどうしようもなくなっています。フランス人は個人主義的だから、中国のような全体主義的な体制をつくることはできません。その点については問題ない。でも別の問題があります。個人はバラバラになり、経済は困難に陥り、生活水準は下がり、製造業は崩壊し続けている。で、結局力を握っている者の中で、最後まで生き残っているのは中央政府です。だから国家の力が次第に強くなっている。コロナ禍は不安で悲観的な雰囲気をつくりました。人々は次第に秩序立った社会を望むようになる。でも、みんな政府が愚かなのは知っています。

マクロン政権は徐々に権威主義的な色合いを強めていて、デモを規制する警察官の撮影を禁止する法律をつくろうとしました。これがあれば、警官は訴追される心配をせずに、デモや集会の参加者を好きなように殴れるというわけです。

私はこれを007法案と呼びました。まるで「殺しのライセンス」だからです。

こうやって権威主義的な体制が登場しつつあるのです。全体主義的ではないので、何もかもをコントロールすることはできませんが、民主主義が後退しつつあるのです。それを愚かな為政者たちがやっている。そしてまた、そのことをみんな知っている。歴史家にとってはすごい状況ですよ。

ホッブスの『リヴァイアサン』によると、国家の機能は社会を規制すること。人々は権威を必要としているから。そうやって外の脅威から人々を保護するのが、国家の役割です。戦争だとか微生物だとか。でも、フランスでは国家は崩壊しつつある。権力を握っているのはマクロン大統領ですらない。むしろ、あんな法律を作ろうとする内務省ではないかと感じています。

最近、クーデターについて想像しています。内務省による大統領と財務省に対するクーデター。ちょっと変わった政治フィクションです。でも危機のときには、考えられないことも考えなければなりません。沈没したくなければ、最悪の事態も想定しないといけない。

ヒトラーが成功した理由もそこにあります。だれもがヒトラーの台頭はありえないと思っていたのです。ドイツは当時、もっとも教育レベルの高い国だったのです。すばらしい大学を擁していたのです。

フランスは感じのいい国で、おいしいチーズやワインがあって、人々はあんまり規律正しくもなく、個人主義的でバラバラになった社会です。でも全体主義システムが登場する潜在的な可能性も考えておかなければなりません。だってもう政党も事実上ないのですから。今、フランスを統治しているのは国家であり行政府です。

２０２０年11月23日、ブルターニュと安曇野の間でオンラインインタビュー

聞き手／大野博人

悲劇のように語られた喜劇

――あなたは大統領選直後に政権移行に不安はないと語っていました。確かに政権は移行されました。ただトランプ支持者たちの連邦議会議事堂乱入事件などの混乱も起きました。どう見ますか。

私が考えていたことが確かめられたと思います。

大事なのは、一連の出来事についてメディアなどでの言説やテレビのイメージと、米国の社会や政治の深いところで動いている現実を区別することです。

語られている言説は芝居がかっています。悲劇のように言われますが、私にはむしろ喜劇的に見えます。

この4年間、米国の民主主義は脅威にさらされていると見なされてきました。でも中間選挙はちゃんと実施された。大統領選挙だってトランプ氏が途方もない発言を繰り返す中で行われながらも、選ばれたバイデン氏が新大統領になった。

議事堂への乱入にしても、そこに米国の権力のすべてがあるわけではありません。米国には巨大な都市もたくさんあるし、軍も地球規模で展開している。米国の権力は強大だけれども分散され、クーデターみたいなことが起きる国ではないのです。米国のシステムの根本的な安定性が確かめられたと見るべきです。

黙示録的な言説は、現実とはかけ離れています。

トランプ氏は誇大妄想のナルシストで、私にも耐えがたい人物です。けれど、客観的に見て経済はうまくいった。外交も対イランをのぞけば悪くなかった。

ニュースの解説者たちが、大統領就任式にトランプ氏が欠席したことを批判していましたが、私は驚きました。そんなことをいうなら、ブッシュ（ジュニア）氏がオバマ大統領の就任式に出席したことをもっと問題視するべきだったでしょう。だって彼は、イ

連邦議事堂に集まったトランプ大統領の支持者たち。2021年１月６日撮影

ラクでおぞましい無意味な戦争を始め、世界的な罪を犯した人物ですよ。近年の大統領でいちばん狂っていたのはブッシュ氏です。

——議事堂乱入事件のあと、トランプ氏は弾劾訴追されツイッターやSNSなどのソーシャルメディアから締め出さました。たしかに劇的な展開ではありました。

私にとって奇妙に思えるのは、民主党の行動です。せっかく優位な立場を手にしながら、大統領の弾劾などという役に立たないことに駆け出しました。またしても意味のある政策を立案することよりトランプ排除を自分の存在理由にしてしまった。民主主義への脅威だと言って。

でも米国の民主主義にとってのほんとうの脅威は何か。トランプ氏が最後にそれを示してくれました。ソーシャルメディアから締め出されることによってです。脅威は、ツイッターやＧＡＦＡに代表される巨大なグローバルＩＴ企業なのです。これらの企業が、社会への影響力を集中して握っているのです。

グローバル時代のエリートたちに尋ねてみたい。あなたの自由を脅かすのは、トランプ氏ですか、ＧＡＦＡですか、と。明らかにＧＡＦＡでしょう。これこそ教訓ではないですか。

それと米国については、社会の分断や民主党の迷走より危ない兆しがあります。肥満問題です。単なる健康問題ではありません。肥満は自分を律する力の問題です。つまりうまく未来に向かう能力の欠如を表します。その広がりは、その国が精神分析学でいう超自我を失っている兆候でもあります。

２０２１年１月21日、パリと安曇野の間でオンラインインタビュー

聞き手／大野博人

2
新型コロナ禍の国家と社会

新型コロナウイルスが社会を壊すわけではない。社会はその前からボロボロだった。コロナ禍はそれを暴いただけ。フランスの人類学者で歴史学者のエマニュエル・トッド氏はそう指摘する。身も蓋もない現実から目をそらすことはもうできない。そこへの大きな不安と小さな希望を語った。

国民国家システムが勝利したわけではない

——今日あなたはブルターニュ（仏北西部）の家、私は長野県の自宅にいる。お互いパリや東京から遠い地方にいてオンラインで対話することになりました。インターネット登場前ならできなかったですね。グローバル化にもいいところがあるというわけです。悲観的になる必要はないかもしれませんね。

——とはいえ、この感染症が深刻化した背景にもグローバル化があります。かつてなら限られた地域にとどまっていたかもしれない病気が急激に世界に広がる。地球規模の感染が頻発する時代になったようです。地球全体を豊かにするともいわれたグローバル化ですが、このグローバルな問題にグローバルな解決をもたらしはしない。結局、解決策は各国、各地域に丸投げ。グローバル化は敗北したみたいだけれど、それは国民国家システムの勝利になるのでしょうか。

そうはならないでしょう。新自由主義的な経済中心のグローバル化が国民国家を壊したのではない。逆です。国民国家が弱体化したから、それにとって代わるシステムとしてグローバル化がもてはやされたのです。

だからグローバル化したシステムが肝心のときに機能しないからとナショナルな（各国の）枠にもどっても問題が解決できるわけではない。それもすでに壊れているのだから。

たしかに、多くの人がグローバル化はうまくいかないと思い、国家や国民の中に再び結集しなければと思った。それが米国でのトランプ大統領登場や英国のEU（欧州連合）離脱（ブレグジット）という動きを生みました。

——けれども、コロナ禍では多くの国が迷走。日本でも日常が一変しました。

コロナ禍は、社会を壊したというより、今の社会がすでに壊れていたことを暴いたにすぎません。フランスなど先進諸国では生産力が落ち、必要な医薬品さえ作れなくなっていることがわかったし、各国の政府がほとんど何もできないことも明らかになった。

――国民国家がうまく機能していないとすれば、その社会はどんな風に壊れてしまっているのでしょうか。

今、フランスの現状について理解するうえで主流となっているのは、中央と周辺という概念で考えるモデルです。２０１９年に出版されたジェローム・フルケの『フランス群島』もとても興味深い。フランス社会の島国化を唱えている。フランスがさまざまな島から成る社会になりつつあるという説です。それぞれの「島」でサブカルチャーまでちがってきていると指摘している。

金持ちたちは独自のサブカルを持つに至っていて、貧しい人はそれとはちがう。アラブ系の住人はそれともまたちがう。金持ちや貧しい人たち、あるいはアラブ系の住人たちといった風に、さまざまなグループが相互につながりを持たないまま暮らす。フランスはそんなバラバラの島国みたいになっているという見方です。大事な指摘だと思う。

この見方はかつての私の見立てにも近い。私はこの本の出版を手伝いもしました。ただ、意見が完全に一致しているわけではありません。

――ちがいはどこに？

私は1997年に書いた『経済幻想』で、どんな教育を受けるかによって人々が階層化されていることを指摘しました。こうした階層化が社会を解体し国の自壊を進め、グローバル化を招いたと見ている。このことが国民（nation）を解体している。グローバル化が国民を破壊し解体するのではなく、国民の破壊、解体がグローバル化を招いたという考え方です。これは今、広く受け入れられる見方だと思っています。

その点で、島国化という見方自体に異を唱えるわけではありません。

中間層も転落

――島国化の過程で失われていったものは何でしょうか。

国民国家に欠かせない社会心理的な次元、国民の共同体への帰属意識です。ただ、今起きているのは、実は「私たち」の喪失の現象だけではない。今、フランス社会のあらゆるカテゴリー――貧困層だけでなく、これまでグローバル化の恩恵を享受していた中間層、管理職なども含めた大半の階層――が、次から次へと下方への転落に引きずり込まれている。最近書いた本の中で、それを指摘しました。

――『21世紀フランスの階級闘争』ですね。

この本では、欧州共同体のマーストリヒト条約以来のフランスについて記述しているのですが、そこで、社会全体がいっしょに転落しているという指摘をしています。ほとんどすべての人の生活水準が下がっている。管理職階層なども含めたすべてのグループについて子どもの教育水準が低下し、出生率もすべての階層で下がっている。この点では、労働者たちも管理職たちも同じ。

つまり実際には、表面的な分断化、島国化を超えて、社会全体に共通する動きがあるのです。

——単に島国化が進んでいるだけではないと。

強調しておきたいのは、これまでマクロン的な社会で勝ち組だと見られてきた中間層の意識です。勝ち組だと言われているけれど、実際は上の階層での負け組。

彼らのことを私は、知的な仕事に携わっていたり、管理職に就いていたりする「CPIS（Cadres et Professions Intellectuelles Supérieures）」のプチ・ブルジョワと呼びますが、この人たちは、まちがった意識の中にいる。彼らはもはや特権階級ではなくなっているのに、その自覚がない。今は社会の中で物質的な豊かさを享受できているのは社会上層の1％あるいは0・1％であって、もう90年代のように20％ではない。

だから、もう社会的にそんなに高いところにいるわけではない中流階級の転落が、いずれ社会の大半の人々を近づけることになり、あるときに社会についての人々の認識を変えていくことになるのではないか、と考えています。

——しかし、今はまだその認識は共有されていない。

私は本の中で、「軽蔑のカスケード（流れ落ちる滝）」ということを書きました。労働者は移民の子どもたちを軽蔑し、CPISの人たちは労働者を軽蔑する。なぜなら彼らは右翼政治家のマリーヌ・ルペン氏に投票するからといって軽蔑する。ルペン氏本人やルペン氏に投票する人への軽蔑が、CPISの優越感になっているのです。

ルペン氏への防波堤としてほかの候補に投票する人たちは、現実的な問題への対策についてなんの考えも持っていないのです。ルペン氏支持の労働者と自分を区別することで道徳的な優越感を得ているだけ。

それは私に言わせれば、移民の子どもたちを軽蔑することで優越感を感じるルペン氏支持層と結局のところ変わりありません。

さらに言えば、欧州のシステムの中にあっては、この1％や0・1％の指導層だって転落に向かうのです。なぜなら、今や盟主はドイツだから。

——ともに転落しているとしても、ちがう意識の中にいる限り連帯は難しいのでは。

私の仮説はこうです。いずれいつかの時点で、このルペン氏に投票する労働者層を軽蔑しながら、かといって自身がたいして上層にいるわけでもないCPISのプチ・ブルジョワたちも、自分たちより下を軽蔑することをやめて自分たちより上にいる1％にまなざしを向け、闘争に入る。そして、軽蔑のカスケードの社会から、階級闘争で再構成される社会に移行する――。ここで私が言う階級闘争とは、フランス革命の時のような階級闘争ではなく、ほとんどすべての人と1％の上層部との闘争です。

――99％はいっしょに闘う理由を共有していることにいずれ気がつくと言うのですね。

そこが肝心な点です。つまりフランス社会は岐路に立ってためらっている。島国化、つまり社会の解体と混沌が進むのか、あるいは指導者グループに対する階級闘争を通して再構成の動きに向かうのか。

さらに、ここで言っておきたいのは、50％のフランス人は、上級管理職でもないし、CPISのプチ・ブルジョワでもないし、労働者階級でもないし、移民でもない。この人たちは、フランス社会の真ん中にあってバラバラにアトム化（孤立）した塊だということです。

ここには、（労働者と管理職の間の）中間的な仕事に従事している人、たとえば技術者、看護師、まだ残っている農業従事者、労働者の中でも高い技能を持った人も含みます。

このグループの人たちは、選挙のたびに投票行動を変えている。これは緻密な投票行動の調査でも示されていて、マクロン支持者でもなければ、ルペン支持者でもない。とにかく一斉にどちらかに投票するということがない。

また、このグループはとても近代的な性格を備えている。そこでは、たとえば女性の存在感も大きいし、同性愛者の割合も、婚外子の率も高い。この社会の核をなす部分「アトム化した真ん中の塊」がどこに向かうのかは、まだわからない。

もしこの塊が社会全体と合体すれば、階級闘争は勝つことになるでしょう。これが私のモデルであり、その通りになることを望むけれど、この真ん中の部分が社会全体をアトム化に巻き込めば、それは社会の解体、混沌につながり、島国化のモデルに近づくことになります。

ジレジョーヌ（黄色いベスト）運動は再統合への始まり

――分断を克服する、そんな階級闘争の萌芽はすでに見えていますか。

マクロン政権が打ち出した増税案にたいする異議申し立てとして始まったジレジョーヌ（黄色いベスト）運動がそれです。

この本の執筆は、ジレジョーヌ運動が起きた直後に始めたのだけれど、この運動は、島国化のモデルでは説明しきれないと私は思う。

というのもこの運動は、たしかに特定のカテゴリーの人々とつながって始まった。民間の働き手、中小の企業家やそこで働く人たち。けれども、フランス全土のさまざまな集団に広がり、約70％の人が共感を示すにいたりました。

これは、階級闘争への回帰の始まりのように見えます。パリにいる指導者に向けての異議申し立て運動として多くの人々が共感したのですから、フランス社会の再統合の始まりとも考えられます。

たとえば都市の郊外。そこには移民の子どもたちがたくさんいる。その郊外で、この運動は強い共感を得ました。ラップ音楽について詳細に分析した若い研究者の調査によると、それはジレジョーヌ運動への共感を表していたといいます。

――あなたは最近、自分をペシミストだと言っていましたが、今の社会の動きの中に絶望や失望だけでなく、階級闘争には希望を見いだしているということになるのですか。つまりジレジョーヌは希望を表していると。

フランスのような国にいると、人は絶え間なく揺れます。オプチミズム（楽観）とペシミズム（悲観）の間を。

既存の政党システムは、国民のことを考えたり、産業の再活性化に取り組んだり、失敗したEUから自立性を取り戻そうとしたりしなくなっています。また最近の歴代大統領を見てみると、サルコジ氏は反イスラムだったし、オランド氏は愚かで反イスラムにもなった。で、そのひどい危機の後に登場したのがマクロン氏です。

でも彼もまったく愚かです。宗教や民族について、最初は中立的だったけれど、コロ

フランス政府の燃料税引き上げ方針をきっかけに、2018年11月17日にフランス全土で28万人が街頭に繰り出して始まったデモ。車への常備が義務づけられている黄色いベスト（ジレジョーヌ）がシンボルとなっている

ナ問題が出る前くらいから、イスラムのことを持ち出し始めた。問題に対処する手段がほかになくなったときに便利なスケープゴートとして使えるからです。

フランスで私のような左派、保守主義者の左派は、責任を引き受けるエリートを望んでいるのですが、近年の指導層にはがっかりです。

だけど、ジレジョーヌ運動を通じて、人々はフランスのあちこちで立ち上がり、政府を屈服させ、政策を撤回させた。それを見ると、今度はオプチミストになる。

日本はフランスとちがいます。日本では、16世紀末、徳川時代が始まる前くらいからの伝統は社会的コンセンサスでした。対立の回避です。それ以前はそうではなかった。前はもっとずっとフランスに似ていた。

今の日本では、対立というのは伝統から外れることのように受け止められるのでしょうが、フランスの伝統はというと、それは対立です。日本のエリートは人々のことを真面目に考えていて、指導者と人々は相互に敬意を払い合っているのではないのでしょうか。

けれどもフランスではちがう。人々を軽蔑し、統治も下手なエリートがいる。彼らの目的は次第に人々を虐げることになっていった。コロナ禍の前には、マクロン大統領は年金制度を骨抜きにしようとしていたのですよ。

この文脈の中で見ると、大多数の人々から支持を得たジレジョーヌ運動という蜂起は、これこそフランスの伝統なのです。ただ単に政府が屈服してよかったという話におさまらない。フランスは今も生きている。

だから、フランスではジレジョーヌ運動を支持しつつ、文化的には保守的であるということが可能なのです。私が左派の保守主義者というのはそういう意味です。それはあなたがいる日本の伝統ではないかもしれませんが。

――コロナ禍による危機にも、フランスの伝統は見てとれるのでしょうか。

コロナ危機でも同じことはいえます。私はペシミストであると同時にオプチミストでもあります。

政府はほんとうに馬鹿です。感染が広がりつつあるときに統一地方選挙をやってしまうのだから。薬物で頭がどうかしたのかと思うほどです。おまけに野党まで選挙の実施に反対しなかった。これが感染の広がりを加速してしまった。

で、どうなったか。気がついたら、医療チームもマスクも人工呼吸器も十分にないとなった。でも政府は嘘をつき続けた。政権幹部は毎夕、会見しては嘘をついた。まるで全体主義国家の時代のロシアかどこかのように。毎夕、会見に登場しては、コロナについての作り話を語る。

とにかく、あれは絶望的でした。希望はありませんでした。

けれどその一方で、財政面で犠牲にされてきた病院関係者たちの振る舞いはみごとだった。公的な病院は破壊されつつありましたが、この人たちはちゃんと自分の義務を果たしていた。私はそれを「誇りの論理」と書きました。

そこにはフランス人の質が表れたと思いました。たくさんの人が恐れながらも状況を理解し、外出規制の中で、非常に規律正しく振る舞った。若い人たちも含めてです。病院関係者や一般の人々を見ると、彼らはとても落ち着いていたし、礼儀正しかったと思う。

ある意味で驚きでした。人々の振る舞いはとてもエレガントだった。人々はちゃんと距離をとろうとしていたし……。

私はフランス人がエレガントになったのだという啓示を得ました。私の若いときはそうではありませんでした。こうしたフランスの人々の振る舞いを見るとオプチミストになれます。

統一地方選挙では、（環境問題を重視する左派政党の）緑の党がとてもいい結果を出しました。マクロン氏が大統領に選ばれたときは、人々が社会党に入れたくなかったという思いもあった。そういう人たちが、やはり右派には投票したくないし、マクロンもいやだとなって緑の党に入れた。

ただ彼らには政策がない。彼らへの支持票は、基本的には反マクロンの票です。それでも、たくさんの人がマクロン氏に反対して投票したという事実は、私をオプチミストにさせてくれる。

それにひきかえ、メディアの中のコメントには耐えがたいものがありました。報道関係者の間のモラルの低下は恐るべきものです。彼らはいまだにマクロン大統領をまじめな指導者として示そうとしている。フランス人の大半は、マクロン大統領をもう軽蔑しているというのに、です。まるで今もまともな政治家として存在しているかのように、また彼を選んだ大統領選挙が意味のあることだったように見せようとするジャーナリストたちの階級があるのです。

ただ、エコロジストが反マクロン票を集めたとしても、フランスにとって深刻な問題は産業の破壊です。「観光客にとっての田舎の国」というだけでは、フランスは生き残れません。ビストロで外国人観光客をもてなす、それだけでは大国として立ちゆかない。でも、産業やテクノロジーの危機について人々の意識は弱い。となると、ここではペシミストになります。

けれど、デモはある。医療関係者のデモはあったし、米国で人種差別抗議デモがあるとそれに同調した自発的なデモもあった。フランスではデモは規制されていたけれど、それでも2万人が街頭に出ました。それをみるとオプチミストになる。

人口問題についての日本の「幻想」

――昨年、ルモンド紙の記者とジレジョーヌ運動について話していたとき、彼はそれを一種の「幻滅」の現れだと語っていました。グローバル化や欧州統合や若々しいイメージをまとって登場したマクロン大統領などに抱いていた「幻想」を捨て去る運動という意味で。

その通りだと思います。

――その記者と話しながら、日本はまだ「幻想」の中にいるのかもしれないと感じました。日本は少子高齢化という人口動態上の危機から抜け出せていない。それでも問題の深刻さに見合う取り組みが始まっているとは言いがたい。まるで高度経済成長期の若々しい社会のままだという「幻想」にまだ浸っているかのようです。

先進諸国はどこも幻想の中にいると思います。でも同じ幻想の中にいるわけではない。それぞれの国がそれぞれの幻想を抱いている。

フランスの場合、欧州に組み込まれ自立性をなくしているのに、依然として工業大国だという幻想がありました。そこへコロナ禍。で、驚くべきことにマスクさえ製造できなくなっていることに気づいた。まさに幻滅です。

日本の場合、そうではない。日本は依然として一つの国であり続けているし、自分たちの通貨を維持している。日本は強力な製造業を守ってきた。資源を外に依存し、輸出をしなければならない。だから今も全体としてみれば、ものを生産するラインは損なわれていない。日本は作ろうと思えば、なんでもまだ自分で作ることができるでしょう。フランスはもはやそうではありません。

——ただ日本の場合、人口動態上についての幻想は深刻です。

そこです。

日本にとっての根本的な問題は、フランスが直面していない問題です。つまり人口動態上の根本的な幻想。

この幻想とは、自国の問題の解決策が経済の中にあるように思っていることではないでしょうか。少子高齢化は人口動態上の問題であって、その原因は家族関係、男女の関係、まだ十分なレベルになっていないのになかなか進まない女性の解放に根があります。これが、家族で子どもを作るための条件を損なっている。

だから日本が取り組まなければならないのは、教育を受けた女性が仕事もできるし子どもも持てる新しい社会を確立することです。

それと、軍国主義時代の経験から来る国家への恐れを克服する必要もあるでしょう。フランスのような国では、教育は小学校から高等教育までほとんど無料。だから中流階級の人たちが子どもを持つことができる。日本でもそれはできるはずです。

国が、エネルギーを注ぐ先を人口動態問題に大きく転換していくためには、まず、経済やテクノロジー面でのパフォーマンスがもはや最優先ではないという考え方を受け入れなければなりません。国内総生産（ＧＤＰ）が優れた基準ではないと気づかなければならない。あるいは出生率をＧＤＰのような指標に統合するべきでしょう。

やるべきことは女性を再び家庭に閉じ込めるということではないのだ、と理解しなければなりません。

フランスの例があまりしっくりこないのなら、ロシアの例はどうでしょう。というのもロシアは、ここ数年では、出生率を向上させることのできた唯一の先進国です。ロシア人たちは、経済と社会をより広い意味でとらえていて、経済と人口動態問題を分けずに同時に考えている。

それは全体主義の時代の遺産かもしれないけれど、良い遺産です。ロシア人たちは歴史について長い射程で考えることができる。マルクス主義の残したことかもしれません。それに、国民という概念が強い意味を持っている。だから彼らは人口動態を優先します。

この問題で日本からロシアに調査団を派遣すると、とても興味深いことがわかると思います。女性の地位についても比較してみれば面白いのでは。おそらくロシアの方が高いでしょう。ロシアの伝統的な家族構造はかなり父系であるにもかかわらず、です。

——日本では人口動態危機が深刻だとしても、多くの日本人はそれに向き合いたくなさそうに見えます。語りはしても行動には移さない。まるで、日本はこれまでと変わらないのだ、と信じたいようです。解決があまりに難しい問題を前にすると、問題自体をないことにしてしまいたくなる。そんな気持ちが、自分たちは変わっていない、これからも変わらないという幻想を支えているのかもしれません。

たしかに、日本に行くたびにしょっちゅう、人口動態の危機について議論をしました。これはたいへんだ、それなら何をするべきか。移民を受け入れるのか。そのためには何をすればいいのか、やっぱり無理だ、云々。でも変えようとして動きださない。

これは恐るべきことです。人口が減り、そしてその人口も老いている。だとすれば、それはもう同じ社会ではあり続けられません。そんな社会に日本はかなりの速度で突っ込んでいった。

そうなると、選択肢は、今のままでいるか、変わるかではない。悪い方に変わるか、良い方に変わるか、でしかありません。

尊敬する日本の人口学者、故・速水融(あきら)さんの本で読んだのだけれど、17~18世紀にかけて日本は社会的にとても安定していた。人口もあまり変わらず、経済も安定し、社会は秩序立っていたそうです。

しかし、それは日本の歴史の中では短い間にすぎません。日本の歴史は変化に次ぐ変化でした。その点では欧州とも呼応する。だから、ずっと変わらない日本の文化といった考え方は、馬鹿げています。

私は人類学者として、さまざまな社会の性格を考えるうえで家族の型の分類をしてきたわけだけれど、日本の男系の長子相続の直系家族システムですら、速水さんやその弟子たちの歴史人口学の研究によると、そんなに昔からあったわけではないそうです。おそらく14～19世紀にかけて長期にわたりゆっくりと確立され、頂点は19世紀の明治期だったようです。

直系家族構造を中心にして、階層がはっきりしていて、秩序のある、安定した社会という日本は、せいぜい1世紀も存在したかどうか。14～17世紀の日本には、農民層の反乱もあり、宗教的な危機もあった。18世紀には経済危機があり、国内での商取引がさかんになった。日本はずっと秩序立って安定的だったわけではありません。

だから日本人は、今のフランス人のように、ではなく、かつての自分たちのようになればいいのです。

中国は危ない国になっている

——日本での安全保障問題にも人口動態の問題は重くのしかかっています。まもなく人口の半分が50歳以上になるほど老いた国の軍事とはなにか。何度か戦争当事国で取材して感じたのは、武力衝突が経済や人々の心理に強いる極度の緊張です。高齢者が増え続け、若者が減り続ける社会がどうやってその負荷に耐えられるのか。

この国の政治家は、憲法改正問題などに見られるように、安全保障にからむ課題を語るのが好きです。日本がより強くなり、より自立するための政策としてしばしば持ち出す。けれど、そもそもこの年齢構成の国にどんな防衛策が可能なのか。その視点抜きで法律や装備を議論してもむなしい。

むしろ議論自体が、問題の本質から目をそらさせ、ふつうの国という幻想を維持する働きをしているのではないかとさえ感じます。

その通りでしょう。

改憲か護憲かという論争をすることも、むしろ中国の政治指導者のゲームに入っていくことにならないでしょうか。

日本が攻撃的な国だなんて考えるのは中国くらい。世界中で多少とも日本の歴史を知っている人ならば軍国主義が日本の本質的な部分だとは思わないでしょう。簡単に証明できることですが、日本の歴史の基本的な部分は、ほとんど他国と戦争をしていないことです。日本が帝国主義、植民地主義の国だったのは、きわめて短い期間。それは西欧を模倣したのであって、日本の欧化の一部分であったのだと思います。

逆に確実なのは、中国は危ない国になっているということです。日本にとって軍事的な唯一の課題は防衛です。それは日本人の年齢構成を考えてもわかる。

だから、かつて朝日新聞のインタビューで、長期にわたって可能な防衛手段として、核武装ではないかと話したんです。もちろん、日本人にとって受け入れがたい提案だということはわかっていましたけれど。

核兵器というのは高齢化した国にはちょうどいいのです（笑）。まあ、いずれにしても、高齢化した人々は攻撃的ではありえない。

――安全保障という点でも、まず優先すべきは人口問題の解決であるはずなのですが、出生率の向上についても移民の受け入れについても実質的な取り組みに踏み出せていません。

人口動態危機に対応するには、出生率の上昇と移民の受け入れの両方が必要。そのどちらかではなく、二つの課題を同時に進めなければなりません。移民を統合するには子どもも増やさなければ。

日本にはこの問題しかないのです。けれども、ほかの問題ばかり語って、人口問題を絶対的な優先課題にしないで後回しにできると考えているのだとすれば、それこそが日本の幻想です。

私は日本での天皇の位置づけについてあまり知らないから言うのですが、天皇が子どもを増やそうとか移民を増やそうとか呼びかければいいのではと思うのですが。このことに比べれば、ほかのことは日本にとっては二の次なのですから。

――日本の天皇は政治的な発言はできません。

これは政治ではありません。国の存続の問題です。政治を超えている。人がいないと政治はできないのですよ。人のいない民主主義なんて、まだだれも見たことがない。民主主義国であるためにも、とにかく人口が必要です。

私は、歴史人口学の研究者として出発したことをよかったと思っています。だって、いったんこういう学問を身につけると、抽象的な問題に戻ることはあまりできなくなりますから。つねに具体性の中で考える。人間であるということは、どんな社会であっても、生まれて、子どもを作ったり作らなかったり、そして死んでいくということであり、国民というのはそんな人間の集まりです。だから人口動態の視点は、幻想から覚めるための療法になります。

――深刻な少子高齢化という事態は、さかんに議論もされるし、よく知られているはずなのですが。

だれもが想像力を欠いていると思います。

日本でいうと、人口動態の問題は深刻。一方、フランスではメディアは政府の現実をまったく語ろうとしない。それを拒んでいるし、野党は自らをまとめることができない。米国は依然として分裂的で、統一的な社会を築けないまま。英国については、感染症対策での救いがたいパフォーマンス。もはや英国は英国ではないように見えます。ドイツについてはそのエゴイズム。欧州をコントロールしユーロを管理しているのに何も見ていない。

ほんとうに悲観的な見通しばかりです。

ただ、自分でも注意しなければならないと思っています。というのも私はもういい年です。私のこうした悲観的な分析が理にかなっているか、それともただ年老いて悲観的な老人になっているだけなのか、わかりません。だから注意しないといけませんね。年のせいで、楽観的な要素を見ないままに悲観的になっているのかもしれない。

「能動的な」帰属意識

——国民国家が衰弱し、新自由主義的なグローバリズムも問題を解決しないとすれば、ほかにどんな選択肢があるのでしょう。もっとちがった形の、金融資本主義が主導するのではない別のグローバル化はないのでしょうか。

だれだってグローバル化がもはやうまくいかないということは理解しています。だれもが国や国民（nation）を中心に再び結集することは必要だと考える。それをやろうとしたのがトランプ氏であり、英国人はブレグジットでそれをやろうとした。でも、米国は分裂的なまま、英国は保守主義者たちが相変わらず自由貿易という考え方に固執して、そこから抜け出るのはとても難しそうです。

たしかに、フランスなどでも国家主権を前面に掲げる主権論は理論的には勝利を収めたけれど、社会が主権国家に再び戻るために必要な社会心理的な次元がやはり欠如している、と思います。

さきほども述べたように、社会はアトム化していて、国民という共同体が解体されてしまっている。それがグローバル化につながったという考えに立てば、グローバル化をやめたからといって、それが国民という共同体の解体の問題を解決するわけではありません。

グローバル化が失敗に終わったからといって、国とか国民といった場所に戻ればいいというわけにはいかないのです。

フランスのような国で経済のシステムを再構築したり、日本で人口動態上の問題に取り組んだりするためには、とても強い帰属意識（le sentiment national）が必要です。日本人同士であるいはフランス人同士で、何かをいっしょに成し遂げようと望む意思が必要。つまり結集した人々の並外れた努力がなければなりません。

かつてフランス人には、それが可能でした。たとえば第二次世界大戦後、国が再建に向かっているとき、人々はちゃんと振る舞った。とてもたいへんだったけれど。

日本だって、明治維新のときは国民全体がたいへんな努力をしたのだと思う。それがあったから西欧に追いつくという信じられない偉業を成し遂げたのでしょう。

ちょっと考えてみましょう。明治時代の日本が西欧に追いつこうとするときの努力と、今日もはや立ちゆかなくなったグローバル化という文脈の中で、経済の方向をナショナルなものに切り替えたり、人口動態問題を解決したりするという努力を比べると、明治時代の挑戦の方が物理的にはずっとたいへんだったと思う。

けれども当時は、人々の間に非常に強い帰属意識があったのではないでしょうか。日本が考えなければいけないことの一つは、国民の結束する力と帰属意識をどう結びつけるかということだと思います。

フランスのエリートたちは、自分たちはもはやフランス人ではなく、フランスなんてもうないんだと考えたがっている。でも日本にはそんな問題はないでしょう。日本人は、やはり自分は日本人だということを確信しているだろうし、文化的な帰属意識は依然としてある。ただその一方で、移民への反発があり、同質性の高い社会を維持したいという思いがとても強い。日本では、落ち着いて安心して暮らすことへのこだわりがあるのです。

日本がとても快適に暮らせる社会であるのは、人々がお互いにとても礼儀正しいからだと思います。だから、規律をあまり守らなかったり、日本とはちがう振る舞いを身につけたりした人々が入ってくることを問題と考える。

つまり、ある意味で日本はちゃんと存在している。けれどもそのことは、そこにほんとうの意味で帰属意識があるということを意味しない。真の帰属意識とはべつのことです。それは、社会でものごとを前進させる力です。つまり、ただみんなで快適にいっしょに暮らすというのではなく、いっしょに何かを成し遂げるためのものです。

——社会的な連帯ということでしょうか。

能動的な連帯ということです。ただ単に伝統を維持するというだけではないのです。

——単に帰属意識を共有しているというだけでなく?

そうです。いっしょにどこかに向かおうとする気持ち。そう考えると、日本人も根本的には今のフランス人とあまり変わらないのかもしれない。この真の帰属意識の欠如というのは、それは日本にも見られるのだと思います。

自分はフランス人だとか日本人だとかいうだけで満足する帰属意識とはちがう。受動的な「私たち」ではなく、能動的な「私たち」と言えばいいでしょうか。いっしょに何かをやることを促す帰属意識。

たとえば、グローバル化した経済をふたたび国の枠に戻すのは容易ではありません。ものすごい努力を必要とする。とても疲れることです。

私は前に「グローバリゼーション・ファティーグ（疲労）」という言い方をして日本でも反響があったけれど、グローバル化から抜け出さなければいけないと考えて行動する人たちはとても疲弊しています。

グローバル化から抜け出すことは単純なことではありません。生産ラインは地球全体に広がっているし、貿易はとても重要だし、経済をナショナルな枠組みで再構成するのは恐ろしく骨の折れる仕事です。

それでも20世紀前半くらいまでの人々なら、なんとかしたでしょう。とてつもなく難しいと思ったとしても、実現したにちがいない。けれども、今の先進諸国の人々の社会心理的な状態から考えると、たとえ人々自身がそれを望んでも、実現は恐ろしく疲れる仕事になる。そしてなかなか実現はできないのではないでしょうか。

実は、この能動的な帰属意識と受動的な帰属意識を区別する考えはあなたと話しながら思いつきました。あなたがグローバル化について話せと、ブルターニュにまでインターネットで追っかけてきてくれたおかげで、わかりました。とてもうれしい。

私はこれまで、日本は、フランスや米国とちがってちゃんと存在すると言ってきたけれど、それは安易すぎたようです。たしかに文化的にはちゃんと存在する。しかし、それは能動的な「私たち」ではないのかもしれない。それがあるなら、人口動態問題にすでに取り組んでいたはず。人口が減り続け老い続けるのを、手をこまぬいて見ている社会に能動的な「私たち」があるとは考えにくい。ナショナリズムさえもありません。

伝統的に個人主義的なフランスや英米などとはちがう形ではあるけれど、日本もやはり個人主義の悪に苛まれているのでしょう。

この点について、もう一度言うけれど、人口動態学は幻想から抜け出す助けになるはずです。

——連帯するために能動的な「私たち」という帰属意識が必要だということはわかります。新自由主義的なグローバル化で日本でも個人主義が強まったと私も思います。競争の活力となる「私」が前面に出て、「私たち」は隅に追いやられました。

ただ「私」と「私たち」の均衡を見つけるのは簡単ではないとも思う。「私たち」が幅をきかせれば、「私」は自由を奪われ抑圧されかねません。日本でコロナ禍の最中に現れた「自粛警察」は、「私たち」が暴走した病理現象のように感じました。「私たち」の負の側面です。ただ、たしかに今はグローバル化で「私」が肥大しています。だから新しい「私たち」を再び探し出そうとする動きも出ているのでしょう。

現代の経済イデオロギー的個人主義というのは行き過ぎていて、もはや人々が自然に自分はフランス人だとか、イタリア人だとか、スペイン人だとか感じることがなくなりつつある。自分はドイツ人だとか、日本人だとかいうのもゆるされないかのようです。

アングロサクソンからさえも、個人のことより地球全体のことを考えなければならないという声が出ているくらいです。

——話はどうも悲観的な方向に向かってしまいますが、あなたは、フランスの場合、新しい階級闘争が社会の連帯再建につながるのでは、と期待を寄せているわけですね。

そうです。帰属意識、国を信じる気持ちを歴史的に見てみると、まず、社会全体で宗教的信仰が衰退し、崩壊していくにつれて、国への信仰がとって代わっていきました。それはまずほかの国と自分たちの国はちがうのだと見ることや、ほかの国と対立することで築かれていった。フランスの場合は、それがまず対英国という形で現れた。中世の百年戦争などで、です。そのあとは、欧州やドイツに対抗して育まれました。

日本の場合は、黒船に始まる米国の脅威に対して能動的な帰属意識が生まれたのでしょう。また、日露戦争もそれを育んだのだと思います。

一方、階級闘争も社会を統合する推進力になる。フランスのような国で、1％に対して99％のフランス人が対抗すれば、それは国民を結束させる力になります。

ただ、地球全体でとなると話はもっとややこしくなるでしょうね。

米中争覇は悪いことではない

——さて、コロナ禍でも言動が物議を醸した米国のドナルド・トランプ大統領についてあなたの今の見方を聞かせてください。あなたは、（2016年の）大統領選の前に彼の当選の可能性を語った数少ない論者の一人でした。そのとき、彼を支持する人たちの不満には理があると話していましたが。

彼が選ばれたときほど寛大にはなれません。対イラン政策は受け入れがたいし、コロナ禍ではその場しのぎのことばかり言っている印象です。

彼が選ばれたのは、米国が抱えている幻想、つまり自由貿易に対する幻想と移民についての幻想に踏み込んだからです。その幻想は米国にまだある。

米国は中国からの輸入を少し制限する必要があるし、移民の受け入れもやや抑えた方がいいです。なぜなら米国は製造業を再構築しないといけないし、移民についてはすでに国内で暮らしている人たちの統合をまず進めるために、受け入れはちょっと休んだ方がいいと思うからです。

米国は両大戦間の時代にもこうした休止状態を置いたことがあります。それはうまくいきました。当時の反移民法は不愉快なものではあったけれど、同質性の高い国にするのには役に立ったし、その米国が結局は欧州を解放することにもなった。その後、米国自身、とても繁栄しました。

トランプ氏はそうした問題を感じていたのではないでしょうか。

伝統的な思考の枠組みから抜け出すには、ときにものごとを変な方向から見る大いなる愚かさが必要ですが、脱線気味のトランプ氏にはそれがあった。優れた研究者というのは、ものごとを他の人と同じようにではなく変な方向から見る能力がある者だと思うのですが、それと似た能力がトランプ氏には備わっているようです。

そして彼は、現実を見ることを受け入れた。彼は米国がうまくいっていないという現実を、中国との貿易が米国の人々を壊してしまうという現実を語ることができました。

しかし今は、医療問題でも外交問題でも変な方向からものごとを見るという点で少々やり過ぎています。

他方、民主党は従来の考え方にとらわれたまま。完全に伝統的なイデオロギーにとらわれていて、まったく何も理解できていない。いまだに経済問題で独創的な考え方を出せず、人種差別問題に集中しています。

もちろん人種差別とは闘わなければなりません。しかし、そこでも大事な点を見落としています。つまりトランプ氏が最も標的にしているのは黒人よりメキシコ人だという点。これは人種差別ではなくて外国人差別。別の問題です。

――トランプ大統領の米国は中国への対決姿勢を強めました。それに中国も対抗し緊張は高まるばかり。このやっかいな状況は続くのでしょうか。

欧州諸国や日本といった中級の国々（日本は経済的には大国だけれど、人口動態問題で中級の国になりつつある）に対して、大国であり続けるのは、米国と中国です。

グローバル化から抜け出した世界は、米中対立による二極化の世界になるのではないでしょうか。GAFAに見られるように、グローバル化のための概念を考え出し、そのための仕組みを作り、技術を生み出した米国。そしてそうした仕組みの実際の生産をほとんど集中して引き受けた中国。

私の見立てでは、両者はお互いに対立することでそれぞれ自分の国や国民の再建につなげようとするでしょう。米中対立は、それぞれの国にとって社会を統合する推進力なのです。他国との対立は、お互いの国内での問題を解決するという点ではうまくいってしまう恐れがあります。ここで再び核兵器の存在に感謝するのですが、それがあるから戦争は不可能になる。

だとすれば、米中の緊張は、戦争にならない限り必ずしも悪いことでもない。

冷戦時代を考えてみましょう。それはベトナムや南北朝鮮には厳しい時代でした。東側の人民民主主義国の人たちにはつらい時代だったと思います。けれど、地球全体で見ると冷戦時代はそれなりに繁栄した時代でもあった。当時は、国民国家もうまくまとまっていました。

米中対立による二極化でたいへんなことになる、と言う人はいるけれど、それは問題の解決策でもあるのです。

私は、なにもかもうまくいく理想的な世界が実現する可能性はないと思っています。人生や歴史での実際の岐路というのは、悪い選択肢とより悪い選択肢、あるいは悪い選択肢と最悪の選択肢で分かれるものです。

つまり、冷戦状態は悪い選択肢ですが、みんなの生活水準が下がり世界を無秩序にしてしまうことは、より悪い選択肢です。だから、冷戦でも、まあいいかとなる。

――悪と最悪の間の選択……。

人生とはそうしたものでしょう。いいことだらけの世界というのは天国にしかない。仏教だと西方に浄土があるということになるのでしょうが、私は歴史家で、実際の人間の歴史を扱っています。形而上学者でもないし宗教家でもない。だから私の考える範囲には地上の楽園はないのです。

私は道理をわきまえた年寄りなのです。

2020年6月30日、ブルターニュと安曇野の間でオンラインインタビュー

聞き手／大野博人

3
新型コロナは「戦争」ではなく「失敗」

新型コロナウイルスの感染拡大の衝撃がグローバルなレベルで日常生活を一変させた。衝撃の意味をどう受け止めたらいいのか。手がかりを求めてフランスの人類学者で歴史学者のエマニュエル・トッド氏にビデオ通話で話を聞いた。いわく、変化の始まりではなく、加速であるという。どういうことか。

パンデミックは不平等を加速させる

――新型コロナウイルスの感染拡大は、あなたの国のマクロン大統領をはじめ多くの政治指導者が「戦争」という比喩を使うほどのインパクトを与えています。

そのような表現は馬鹿げています。この感染症の問題は、あらゆる意味で戦争とは違うからです。ただ、支配層の一部がその表現を使うことに理由がないわけではない。彼らは自らの政策が招いた致命的な失敗を覆い隠したいわけです。マクロン氏が、政策的な失敗を誤ったレトリックで覆い隠そうとしている。一方で（エドゥアール・）フィリップ氏（当時首相）は、誰もが知っている当たり前のことを繰り返す。いまフランス人が毎日テレビで直面させられているのはこれです。

マクロン氏が覆い隠そうとしているものとは何か。フランスで起きているかなりの部分は、この30年にわたる政策の帰結であるという事実です。人々の生活を支えるための医療システムに割く人的・経済的な資源を削り、いかに新自由主義的な経済へ対応させていくかに力を注いできました。いま人工呼吸器やマスクの備蓄が足りなくなったと騒いでいますが、新型コロナウイルスが原因ではない。これまで時間をかけて（備蓄にかけるコストを）削ってきたのです。このことを見落としてはいけません。

さらに言えば、感染者の多くを占める高齢者の介護施設（にかけるコスト）も切り詰めてきました。人々の生活、命を支えるための医療システムの水準が発展途上国の水準になりつつあった。これは新型コロナウイルスが引き起こしたのではありません。新型コロナでその現実が突きつけられたのです。この二つを混同してはいけません。

――「戦争」という言葉は、この事実を混同させているということですか。

そうです。ただ2万5千人以上の死者を出した今、マクロン氏の政治的レトリックを真に受ける人はいないでしょう。実際に政府は混乱していますが、フランス国民は落ち着き、いつも以上に規律ある状態にあるように思います。この対比は興味深い。

――ただ、世界的にも未曽有の危機です。フランスのみならず、政府がここまでの感染拡大のスピードと規模を予想するのは難しかったんじゃないでしょうか。

その見方は誤っています。感染の規模がとても大きいのはその通りです。しかし「突然引き起こされた驚くべきこと」ではありません。感染症については、近い過去に参照する事例はありました。SARS（重症急性呼吸器症候群）やエボラ出血熱などがそうです。しかもそうした過去の事例を踏まえて、近い未来に感染症が世界的な脅威になると警鐘を鳴らす専門家はいました。

多くの国が直面している医療崩壊は、こうした警告を無視し、「切り詰め」を優先させた結果です。時間をかけて医療システムが損なわれたことを今回のウイルスが露呈させたと考えるべきでしょう。その意味でマクロン氏だけを責めているわけではありません。サルコジ氏、オランド氏という歴代の大統領や、彼らを選んできた私たち世代に大

フランスのマクロン大統領

きな責任があります。彼らは経済政策の問題として「切り詰めた」つもりでしょうが、人の命の行方に直接影響する道徳的な罪をおかした、と私は言えると思う。この罪は政策的な失敗としてだけではなく、道徳の問題としてもっと責められてしかるべきです。

――国によって感染規模や重症者数が違うのも今回の特徴です。

確かに米国や英国は感染の規模が大きく、死者も多い。イタリアもそうですね。一方で、10万人あたりの死者数で比較すると、日本や韓国、台湾はうまくやっているように私には見えます。その違いが何に由来するのか、ですか。現段階で答えるのはなかなか難しいですが、個人主義的でリベラルな文化の国と、権威主義の歴史がある国とでは、人々の振る舞いに違いが生まれるからかもしれない。ドイツは感染が広がったものの、比較的うまく対応しました。ドイツは（リベラルな国の中では）規律を重視する社会です。

――戦争という言葉との兼ね合いで言えば、フランスでは2015年に新聞社「シャルリー・エブド」が過激派に襲撃され、その後もパリなどでテロが相次ぎました。あのときも

「戦争」という言葉が繰り返し使われました。

私は人口学者ですから、まず数字で考えます。戦争やテロと今回の感染症を比較してみましょう。テロは、死者の数自体が問題なのではありません。社会の根底的な価値を揺さぶることで衝撃を与えます。一方、戦争は死者数の多さ以上に、多くの若者が犠牲になることで社会の人口構成を変える。中長期的に大きな社会変動を引き起こします。今回のコロナはどちらでもありません。

――ただ、死者は世界で30万人を超え、かつてのスペイン風邪やペストと比較する議論も出ています。あなたの国の作家カミュが書いた『ペスト』は世界的に読まれています。

そこまで深刻にとらえるべきではないと考えています。シニカルに言っているのではありません。データで考えてそうなのです。かつてのペストでは欧州の人口が3分の2になりました。比較になりません。HIV（ヒト免疫不全ウイルス）の感染が広がったとき、20年間でフランスでは約4万人が亡くなりました。しかも若い人の割合が大きかった。一方、今回のコロナの犠牲者は高齢者に集中しています。つまり社会構造を決定づける人口動態に新しい変化をもたらすものではありません。

——そこまで大騒ぎする必要はない、ということですか。

私も69歳の高齢者ですが、少なくとも高齢者を中心にこれくらいの規模で人が亡くなる感染症を、文明の危機や社会のラディカルな変容としてとらえるべきとは思いません。むしろ懸念しているのは、私のような高齢者を守るために経済を完全にストップさせ、その犠牲として若者の生活が破壊されてしまうことです。そちらの方が中長期的に見ても大きな禍根を社会に残すでしょう。

私は今回の事態を位置づけろと言われれば、何か新しいことが起きたのではなく、すでに起きていた変化がより劇的に表れたと答えます。

——何がすでに起きていたのでしょうか?

私自身を例に答えましょう。私はいま、フランス北西部ブルターニュの別宅にいます。感染が広がる前にこちらに移りました。庭があり、パリよりも人が少ないからです。言うまでもなく特権的です。庭付き別宅を持つ階層と、庭なしの自宅に住む階層では直面

店舗が一斉休業しているパリのシャンゼリゼ通り。2020年３月18日撮影

しているリスクに大きな違いがあるわけです。

私たちは、医療システムをはじめとした社会保障や公衆衛生を自らの選択によって脆弱にしてきた結果、感染者を隔離し、人々を自宅に封じ込めるしか方策がなくなってしまった。ここ数十年、新しい時代を形容する目新しい言葉はあれこれと語られてきました。にもかかわらず、このような感染症の拡大下で言われているのは「家にいろ」「動くな」という単純なことです。そして貧富の差によって感染リスクの差が生まれている。そこに見えてくるのは身も蓋もない、すでに存在し、拡大してきた不平等です。

――今回はグローバルなレベルでヒト、モノ、カネの流れが止まっているのが特徴です。

人々の移動を止めざるを得なくなったことで、世界経済は麻痺した。このことは新自由主義的なグローバル化への反発も高めるでしょう。ただこうした反発でさえも、私たちは「すでに知っていた」のだと思います。2016年の米大統領選でトランプ氏が勝ち、英国は欧州連合（EU）からの離脱を国民投票で選びました。新型コロナウイルスのパンデミックは歴史の流れを変えるのではない。すでに起きていたことを加速させ、その亀裂を露呈させると考えるべきです。だから、私はあなたの挙げた歴史的な疫病との比較をナンセンスと思うのです。

グローバル化で生活は守れない

――あなたは以前からEUに批判的ですが、今回見えてきたのは国レベルでは何も解決できない、国際協調こそが重要だ、ということではないでしょうか。

国際協調するべきかと問われればイエスですが、EUの存在感はありませんね。その意味でメルケル独首相は正しかった。

――どういうことですか？

マクロン氏は自国の対策も打ち出せない中で、当初から「欧州の結束」「欧州の主権」などと叫んでいましたが、メルケル氏はその間に、ドイツ国民へ向けて何をするべきかを語りかけていました。興味深いことに、その演説の中に欧州の話はありませんでした。国家単位で連携していけばいいことですし、これも今回に始まったことではありません。国際協調とEUにたいした関係はありません。危機に直面したときに、マクロン氏が欧州を持ち上げ、メルケル氏が国民に語った。前者は現実を見ないで空虚な言葉ばかり叫ぶ子どものような指導者で、後者は現実的で偉大な指導者ということでしょう。これも、もともとわかっていたことですが。

——一国で完結しないサプライチェーン（供給網）で覆われた世界経済では、世界大恐慌以来の影響が出る見通しが語られています。

短期的には既存の経済的な不平等が激化するでしょう。感染リスクは不平等に分配されています。欧州では極右の排外主義が近年力を強めていましたが、いささか挑発的な言い方をすれば、ウイルスは今のところ反人種差別的です。移民排斥を訴える極右政党を支持する労働者と、移民を区別しません。貧しい人は等しくリスクにさらされやすい。

注目しているのは、比較的うまく対応できた国々では、政府、政治エリートへの信頼が高まるのではないかということです。例を挙げれば韓国、ドイツが含まれるように見えます。あと、理由はわかりませんが、日本もデータの上ではうまく対応できているように思います。一方で英仏などは政治家がろくな対策を打てず「ひとまず家にいてください」と言うしかない状況だった。でも市民は、それなりに秩序立った社会を維持した。「エリートが機能しなくても社会の統制はとれる」という経験をしたことは大きい。このような国では、既存のエリートの正統性がますます失われていくでしょう。

――結局、新型コロナウイルス危機で、私たちは何を理解するべきなのでしょうか。

お金の流れをいくらグローバル化しても、いざという時に私たちの生活は守れないことははっきりしました。長期的に見ると、こうした経験が、社会に歴然として存在する不平等を是正しようという方向につながる可能性はあります。これまで効率的で正しいとされてきた新自由主義的な経済政策が、人間の生命は守れないし、いざとなれば結局その経済自体をストップすることでしか対応できないことが明らかになったのですから。生活に必要不可欠なものを生み出す自国産業は維持する必要があるでしょう。

グローバル化の進展が自国産業の維持を不要にするという類いの話は幻想でしたし、人間の生活を支える意味でも、そして経済的にもリスクが高いことがはっきりしたのではないでしょうか。

――ただ、国レベルの対策でいくら感染を抑制しても、ウイルスは国境を越えて広がっていく現実があります。国際秩序のあり方に影響を与えないでしょうか。

今後もこれまでと同様に、米中対立が進んでいきます。中国はどんなに経済的に発展しても、コロナ対策で比較的早くその影響から抜け出すことができたとしても、第一極になることはない。今回の一連の動きでは感染をいち早く抑制した後も国際的な信用は落ちたままです。そして国内の人口構成上の脆弱さを抱えている。地政学的な意味での国際秩序の力関係は「コロナ後」も変わらないでしょう。日本はこれまで通り米国との同盟関係を重視していったほうがいい。そう思います。

2020年4月22日、ビデオ通話による取材にて

聞き手／朝日新聞記者・高久　潤

4

不自由な自由貿易

「自由貿易は、民主主義を滅ぼす」――。およそ10年前、フランスの人類学者で歴史学者のエマニュエル・トッド氏は自由貿易を擁護する主流経済学者に挑戦するかのようなタイトルの本を出し、話題を呼んだ。「世界各地で起きている格差拡大の一因は行き過ぎた自由貿易政策にある」と主張し、自由貿易から保護貿易への移行を提言してきた。くしくも、トランプ政権の誕生とともに米国と中国の対立が激化し、世界貿易機関（WTO）を中心とする自由貿易体制そのものが揺らぎ始めた。トッド氏は何を見て、何を考えているのか。パリの自宅を訪ねた。

トランプの方が真実を語っていた

――米中貿易摩擦をどう見ていますか。

二つの仮説を立てています。一つは経済的な面ですが、米国でとりわけグローバリゼーションが進みすぎたということです。中国が世界の自由貿易体制に加わりましたが、一方で米国は最近、死亡率が増加し、平均余命が低下しています。そうした要因が合わさって、行き過ぎた自由貿易を止めなければいけないという動きが起きている。何らかの保護、保護主義を必要としているというのです。

もう一つは、より政治的で、グローバルな覇権をめぐるものです。これは、米国が唯一の超大国ではなくなったことに起因します。中国は20~30年にわたり、（米国が）労働力として使うためのいい貿易パートナーを演じてきました。ところが、いまでは力をつけて「危険」な存在になっています。米国がグローバルな覇権を失い、中国が新たな覇権を獲得することは、米国には到底受け入れられません。米国はおそらく、手遅れになる前に、少しずつ中国の力を壊そうとしていると思います。そして、いまはそれができるタイミングでもあります。米国は衝突を起こすのは非常に上手ですよね。そして、それに勝つことも。日本の方ならよく知っているでしょう。米国が日本と１９３０年代にやったゲームと似ています。

――米中の貿易摩擦は、世界貿易機関（ＷＴＯ）の下で築かれてきた戦後の貿易システムが失敗だったということを意味しているのでしょうか。

構造的な失敗ではありません。私自身は、自由貿易の考え方にも利点はあると思っています。ある国が何かの生産に特化して、経済的なスケールメリットを得る。そして国同士が協力し合う。まったくもって合理的だと思います。問題は、完全な自由貿易は国内で格差を拡大させることです。エリート主義や、ポピュリズムによる衝突も引き起こします。自由貿易に賛成するか、反対するかではなく、どの程度の自由貿易なら社会が許容できるかという話なのです。平均余命が低下するような段階まで来れば、許容範囲を超えたと言えるでしょう。

（自由貿易を擁護する）ハーバード大学の、あるいはノーベル賞を受賞したような高名な経済学者たちは失敗を犯しました。前回（2016年）の米大統領選挙でトランプ氏に反対すると同時に、生産に特化することの利点や国内総生産（GDP）が増えることなどを強調し、自由貿易を称賛しました。一方、トランプ氏は『Crippled America: How to Make America Great Again』（邦訳『THE TRUMP: 傷ついたアメリカ、最強の切り札』岩下慶一訳）という本を出しました。そして人々は選挙でトランプ氏を選んだ。

G20全体会合に臨む中国の習近平国家主席（左）とトランプ米大統領

なぜなら、その本の方が現実に近かったからです。トランプ氏のオバマ前大統領やクリントン氏に対する発言は馬鹿げていましたが、有権者にとって重要だったのは、彼が「真実」を語っていたということです。米国民は自由貿易にうんざりしていました。死亡率の増加、自殺率の上昇などは、米国社会がうまくいっていないことの証しです。サンダース氏は民主党候補にはなりませんでしたが、彼も保護主義を訴えていた。共和党、民主党に関係なく、米国がより保護主義の態度へと変わったことが見てとれました。

過度の自由貿易が社会を分断

──あなたは以前から保護主義的政策への転換を提言していますが、いまがそのタイミングなのでしょうか。

そうです。私は10年以上前から、伝統的な経済学者と闘いながら考えてきました。過度な自由貿易は社会を分断する。なぜ、このシンプルな現実を受け入れるのが難しいのか。共通認識として受け入れられるはずです。どんな国にとっても、自治権や、労働者間の連帯は必要でしょう。なぜ、米国は長年、これに反対するのか。保護主義は1930年代まで米国の伝統だったはずです。一方で、19世紀に自由貿易体制に移行した英国にとっては、自由貿易はアイデンティティーでもありました。大衆、労働者に安い食糧を提供するためのもので、左派的な要素も含まれていたのです。

——いま起きている、フランスの反政府デモ「ジレジョーヌ（黄色いベスト）運動」も自由貿易と関係があるのでしょうか。

自由貿易とも関係がありますし、ユーロとも関係あると思います。それは、上流階級、エリート層の人たちが、過去30年間にやってきたことに関係しています。フランスはもはや自国通貨を持たないし、そのために、通貨の切り下げもできない。自由貿易圏に入り、負けています。産業構造は後れを取ったまま、生活水準も下がりました。まだ、米国のように死亡率が上昇するポイントには到達していませんが、生活水準の低下は始まったと言えます。もちろん、これらはグローバルなものに起因します。ただ、黄色いベスト運動は、これに対しては無自覚だと思います。

――先進国に限らず、新興国でも格差が問題になっていますが、その根底には自由貿易があると。

世界各地で起きている格差の拡大が自由貿易と関係があることは、疑いの余地はないでしょう。学生のための経済の教本にもそう書いてあると思いますよ。国際的な自由貿易は、GDPを上げるかもしれないが、社会の中で格差を広げる、と。左派であれば、だから、再分配が必要だと言うでしょうね。実際には、再分配がなされたことは一度もないと思いますが。

自由貿易は国内では格差を広げるが、国家間の格差は縮める。自由貿易は格差を拡大する「道具」ではあっても、要因ではありません。より精神的な要因があると思います。格差を受け入れることで、自由貿易政策が進められるのです。ここで注目すべきは教育です。教育システムの進化は、人々に新たな階級をもたらしたと言えます。戦後、先進国では識字率の高まりが、平等主義という潜在意識をもたらしました。一般的なモデルでは、人口の30％が高等教育を受けるのに対し、20％は初等教育で終わっています。その結果、30%に含まれる人々は自分たちの方が優れているという新たな潜在意識を持ち始めた。30%に含まれるなら、社会の他の人たちを忘れることができる、と。教育レベルの違いが前段にあり、それが格差を受け入れ、完全な自由貿易政策を受容することを許すのだと思います。自由貿易が格差を広げたというのは、とてもシンプルでわかりやすい。でも、もう少しきちんと説明しなければいけません。なぜ、上流階級や上位中産階級（アッパーミドル）がそれを受け入れたのかを。それは格差を信じているからです。これは非常にアンチ・マルクス的な発想ですよね。なぜなら、教育を前提において経済を語っているからです。

――過去のインタビューでは、権力を持つのは、政治家ではなく、経済的イデオロギーだと答えています。「自由貿易によって問題が解決される」というイデオロギーだと。

私たちが経験しているのはイデオロギーの変化です。いま、米国で起きていることは、自由貿易のイデオロギーが、人々の思考の中で、グリップを失っているということ。私にとっては、その闘いが終わったのは明らかです。

保護主義政策をとる共和党と、自由貿易政策をとる民主党という構図。これは非常に面白くて、かつて共和党は独立戦争後、保護主義をとっていた。反対に、南部の民主党は独立戦争前、自由貿易主義者で北部の産業家に反対していた。国南部の奴隷オーナーたちは、自由貿易信奉者だったのです。自由貿易の「自由」というのは、英国の名誉革命の自由とリンクしているようで聞こえはいいですが、実は、奴隷制と関係があるのです。

――「自由」という言葉をどう考えるか、ですね。

言葉遊びです。一般的に自由貿易というのは、世界の富裕層が一つになって、貧しい人々を安い労働力として使うことです。考えてみれば、自由貿易の、「自由」という言葉そのものが嘘なのです。

自由貿易は宗教に近い

――ですが、保護主義に転換すれば、これまで安く買えていたものの値段が上がるかもしれません。自由貿易の恩恵を受けてきた人々に影響があるのではないですか。

保護主義というのは、自由貿易のようなイデオロギーではありません。自由貿易主義者は、そこに完璧な世界があって、関税をすべて取っ払って、というような世界を描いています。したがって、自由貿易というのは宗教に近いと言えます。これに対し、保護主義は実際には存在しません。国家がとる手段で、自然に備わった能力と言っていいかもしれません。もちろん保護主義に移れば、いくつかのものの価格が上がるでしょう。ただ、考えるべきは、労働市場も違うものになるということです。労働者の賃金は上昇するでしょう。焦らずに、少しずつ保護主義的な政策を進めて、金融、サービスセクターから資源をはがす。労働者や技術者にアドバンテージを与えることが必要です。

そもそも、保護主義によって輸入品の価格が上がるというのはとても古い考えです。保護主義がつくりだすのは社会的な革命で、本当のゴールは、社会の中の力のバランスを変えることです。格差を解消し、エンジニアや科学者、ものを生み出す人にアドバンテージがあるような社会へと移行する。保護主義というのは、何かを創造することなのです。保護主義者は、生産やテクノロジーを考えています。これらをもっと豊かにしようと。一方で、自由貿易主義者はいつも「消費すること」について語ろうとします。消費して、いかに支払いを抑えるか、とね。それがやっぱり間違いだと思うのです。私は、働くことは人々にとっていいことだと思いますよ。その上で、より消費をするのもいいことだと。保護主義はまず、労働に何かしらの重要性を与えることを目指します。すごくシンプルでしょう。

保護主義が民主主義を取り戻す

――以前、著書の中で「民主主義と自由貿易は両立しない」とも主張していましたね。

ある程度の自由貿易なら問題ないでしょう。しかし、あるポイントに達すると、経済的な格差が広がり過ぎて、民主主義と自由貿易を両立できなくなります。自由貿易をある程度やめるか、民主主義を救うかの選択を迫られる。民主主義の根底には、いくつかの平等が求められるからです。市民権、法の下の平等、投票権、そして、そこには経済的な要素も絡んできます。政治的な民主主義が、経済的な格差の拡大を野放しにしたままでは成立しません。そして私たちは、すでにその段階に到達してしまっている。ここでの問いは、完全な自由貿易を手放すか、民主主義を手放すかなのです。

仮にネガティブな部分を抜きにすれば、トランプ政権の保護主義的な政策というのは、私には、民主主義を取り戻すための理にかなった方法に見えます。米国はいま、普通の民主主義に戻ろうとしている。私にはそう思えます。ですが、欧州、とりわけフランスでは同じことは起きません。トランプ現象が反動をもたらしたかのごとく、欧州連合（EU）は、これまで以上に自由貿易を推し進め、自由貿易の擁護を叫んでいます。しかも、あの中国と一緒になって！　これだけでも、自由貿易が民主主義と両立しないことがよくわかると思います。民主主義と対極にあるような国がそう言っているのですから。EUでは民主主義は終わったと言ってもいいかもしれません。私はそれについて『Après la démocratie』（邦訳『デモクラシー以後：協調的「保護主義」の提唱』石崎晴己訳）という本を書いています。

これが、私たちが置かれた現実です。自由貿易国のフランスでは産業が失われ、生活水準は低下し、そして、もはや民主主義も持っていない。2005年にEU憲法条約をめぐり国民投票があり、有権者は「NO」という答えを出しました。しかし、その後、議会は結果を反故にしました。フランス、EUはもはや民主主義のシステムを持っているとは言えません。米国はそれに比べ民主主義国だと言えます。ロシアでさえ、少なくとも人々は投票し、プーチン氏は選ばれている。そして、プーチン氏は有権者が期待することをする。タフな民主主義ですね。それに比べて、EUの政治システムは分断されてしまっていて、政治家たちも有権者に応えない。アンチ民主主義な、反自由主義的な政治システムになっています。

自由貿易を進めれば進めるほど、民主主義からどんどん離れていく。それはすでに起こっています。ドイツがその中心にいるのは悲しいことです。ドイツは長い間、民主主義を持たなかったという歴史を持っているのですから。いま起きていることについて、ドイツだけを責めることはできないし、フランスのエリートの方がより責められる立場にあると思います。しかし、EUの中でドイツが大きな力を持っているという現実もあります。責任について意識的であるとは思いませんが、ドイツはルールを決め、自由貿易も（他国に）強いている。そういう意味では、再び民主主義を殺そうとしていると言えるかもしれません。前回のように暴力的ではありませんが……。

——中国は、欧米などから市場開放が不十分だと批判される一方で、自由貿易の重要性を唱えていますね。

ビッグジョークです。中国は自由貿易を体現しているとは言えません。実態は、保護貿易主義です。米国の保護主義的な態度というのは、そういう意味では中国の保護主義へのリアクションとして説明できるかもしれません。中国のケースは、自由貿易と民主主義が反目しあうという証明なのかもしれません。

WTOは保護主義移行機関に

——改めて、「行き過ぎた自由貿易」とは、どのような状態だと考えますか。

どのタイミングでそのポイントになるのか、私たちにはわかりません。ただ、景気後退、生活水準の低下、それに上位中産階級（アッパーミドル）とそれ以外の層の社会的な対立が、各国で見られるようになっています。いつ、ということは言えませんが、そのポイントを私たちはすでに越してしまったようにも思えます。私たちはすでに行き過ぎてしまっているのです。

――それを改善するためには、どのような政策が求められるでしょうか。

ＷＴＯを「保護主義移行機関」のようにしたらどうでしょう。保護主義だからといって、ナショナリストになる必要はありません。私は戦争も、ナショナリズムも嫌いですよ。責任のある上流階級やエリートは、私たちは行き過ぎてしまったという考えを受け入れ、政治家の仕事を、国の社会的な結束を取り戻すことに向けることです。そうすれば、みなが協力できる。自由貿易が平和をもたらす、というのが事実でないのと同様に、保護主義が国家間で戦争を引き起こすというのは間違いです。ＥＵでは、ユーロという通貨によって、地域間には大きな経済的な壁ができてしまっています。ドイツのシステムがフランスやイタリアの産業を壊しています。

保護主義が多くの人に利益をもたらすこともできます。たとえば、中国経済が輸出主導から内需主導になかなか移行できずにいます。ダイナミックな国内市場がないからだと言われていますが、私は自由貿易に原因があると思っています。輸出によって利益は上がりますが、そのシステムに縛られてしまっている。そこから抜けだし、多くの中国の人の生活水準を高めるといったことができていない。もし、米国だけでなく、欧州も保護主義政策をとったら、中国は対応しなければならなくなります。そうすれば、外需のインセンティブはなくなるわけです。おそらく中国経済は、内需主導に切り替わっていくでしょう。中国がいつか、トランプ氏に感謝する日がくるかもしれません。

ここ何世代かで培ってきた自由貿易体制はポジティブで、協調的な国家間の関係を築けていたかもしれません。この関係をよりオーガナイズされた、より保護的な政策の中で築けないことはないでしょう。労働者を守り、社会的な結束を再構築し、新しいプライオリティーを持つことだって、国際的に同意できるでしょうし、協力もできるでしょう。そのためにはまず、保護主義とナショナリズムを切り分けなくてはなりません。保護主義はナショナリズムではないと、私は考えています。保護主義は現時点では民主的ですが、ナショナリズムは違います。保護主義は純粋にテクニカルで経済的なものですが、ナショナリズムは「力」です。軍事力、膨張する力……。ナショナリズムの深層には、自らが世界の中心であるという考え方があります。

——保護主義とナショナリズムが一部重なる危険性はありませんか。

確かに、いくつかの国において、おそらく、エリートの失敗によって、それらが重なることもありました。しかし、その後すぐ、ナショナリズムの高まりには、保護主義との関係はないことがわかりました。国家感情の高まりの原因は、自由貿易によってもたらされたものです。なぜなら自由貿易は社会や国家を壊すからです。自由貿易がナショナリズムを生み出す。これが、私たちが見ている現象です。そしてナショナリズムが保護政策へと傾倒させる。このような惨状をもたらす根源には、行き過ぎた自由貿易があります。

——トランプ政権というのは、経済的に良いことをしている可能性もあると。

そうです。ただ、トランプ氏は人間的には好きになれません。これが問題です。一方では、伝統的に政治経済を支配している層がいる。自らをとても洗練されたように装い、エレガントな言葉を話します。彼らは本当にばかばかしい経済的なアイデアを発信しつづけている。エレガントに、ナンセンスな話をするのです。もう一方には、トランプ氏のような政治家がいます。非常に不愉快な物言いをして、小さなことに難癖をつけるような人ですが、時に真実を語る。その乖離が問題です。きちんと話す人が解決策を何も提示していないことがね。

――マクロン大統領はどうでしょう。彼も、自由貿易を信奉していますね。

絶望的ですね。まったくの（自由貿易の考えに囚われた）順応者と言える。フランスでは、こんなジョークを飛ばしています。彼はマーガレット・サッチャー氏のようだと。ただ、そこには二つの微妙な違いも含まれています。（マクロン氏は）サッチャー氏よりも考え方が古く、サッチャー氏ほど男性らしくもないと、ね。

2019年3月11日、フランス・パリ　トッド氏の自宅にて
聞き手／朝日新聞記者・笠井哲也

5

冷戦終結30年

1989年11月9日、ベルリンの壁が開放された。壁が象徴していたソ連・東欧の共産主義独裁体制も、その年崩壊へと向かい、戦後の世界を東西に二分してきた冷戦体制が終わった。世界はこれから民主主義と市場経済によって平和で豊かな時代に入る――。多くの人はそう楽観していた。しかし今、民主主義も市場経済も疑問符を突き付けられている。結局、それらはエリートや特権階級を利するだけで不平等を拡大するばかりの仕組みでしかなかったのではないかと。人々が抱く不満に左右のポピュリストがつけいる。30年前の期待はすっかり色あせてしまった。

フランスの人類学者で歴史学者のエマニュエル・トッド氏は、早くからソ連という体制の限界を指摘し、その解体を予測していた。慧眼の知識人は、20世紀の大きな節目からの30年をどう見ているのか。パリの自宅で聞いた。

ロシアは欧米に裏切られ、囲い込まれた

――1989年にベルリンの壁が崩れたとき、多くの人は民主主義と市場経済によって世界

は安定すると思いました。「歴史の終わり」という言葉さえ話題になりました。

歴史家の私にすれば、歴史が止まるというのはばかばかしい考えです。人間が登場してから人類の歴史はつねに変化であり不均衡の連続でした。それが進歩だったり対立だったりをもたらしてきました。その表現を最初に使ったフランシス・フクヤマ氏もほんとうに歴史が終わると思ったわけではないでしょう。

——ソ連の崩壊を早くから予測していたあなたは当時の出来事をどう見ていましたか。

共産主義体制の崩壊、それ自体はけっこうなことだと思いました。たとえばハンガリーにも友人がいますが、自由になって新しい本も出せるようになった。東欧の経済も効率的になるし、強権で支配していたソ連も崩壊した。だから、これからものごとはよくなる一方だろうと思える時期は確かにあった。でも、私が驚くのは、共産主義圏崩壊との向き合い方のまずさです。

——どういう点でまずかったのでしょう。

それは実際の次元でもそうだし倫理的にもそうでした。とくに倫理的な次元でほんとうに衝撃を受けました。

ロシア人はある意味でエレガントに共産主義体制から抜け出したのです。これは（当時のソ連共産党書記長）ゴルバチョフ氏の偉大な功績です。ロシア人たちは戦車をほかの国に送ることを拒み、旧東欧諸国の解放を受け入れました。ソ連の解体さえも受け入れた。バルト三国の独立も認めた。

加えて、ウクライナの独立さえ受け入れたのですよ。ウクライナは歴史的、文化的にロシアとつながりの深い国です。たとえばロシア語で小説を書いたニコライ・ゴーゴリもウクライナ人です。

けれども、ロシア人はすぐに西側欧州と米国に裏切られました。共産主義体制の崩壊後、欧米はロシアにネオリベラリズムの助言者を送り込みました。彼らはロシアに間違った助言をしたのです。彼らの助言はロシア国内に混乱を招いただけでした。

――たしかに当時、共産主義システムに勝った市場経済システムを導入すれば何もかもうまくいくといった空気がありました。

1989年11月10日、民族分断のシンボルだったベルリンの壁は崩れた。
通行が自由になり、両国市民で埋め尽くされた東西ベルリンの通過地点

けれどもロシア人にとって、共産主義は経済的なシステムにとどまらない、一種の信仰でもありました。だから共産主義の崩壊は、経済的な混乱だけでなく、心理的な迷走も招いてしまいました。

にもかかわらず、とくに米国はそんなロシアに寛大ではなかった。そして、共産主義崩壊について、それはネオリベラリズムがすぐれていることの証拠だと誤って解釈しました。

冷戦終結前後に登場したレーガン米大統領とサッチャー英首相は、共産主義の崩壊を、文明化されていない資本主義、ネオリベラリズム、ヒステリックな資本主義の勝利だと考えてしまったのです。

そして、それがあらゆる種類の行き過ぎにつながりました。

——たとえば?

まず戦略面、軍事面です。つまり、米国は北大西洋条約機構(NATO)の境界を東に広げないと言っていました。しかし実際は戦略的な優位を可能な限り推し進めて、結局ロシアを囲い込んでしまった。

あまり知られていないけれど、それはかなりのところまできている。今や、おかしなことにだれもがロシアを責めるけれど、米国とその同盟国の軍事基地のネットワークを見てみると、囲い込まれているのはロシアです。

超大国は一つより二つの方がまし

――その背景にあるのはなんでしょうか。

米国は、共産主義かリベラルデモクラシーかという価値観の対決の構図を、あたかもロシアと米国という大国の覇権の対立の構図と考えた。それは価値観とはなんの関係もない。問題は共産主義ではなくロシアだと考えていたのです。

だから米国は、自分の目的をすり替えていきました。共産主義との闘い、民主主義のための闘いから、完全に覇権を目指すことへと。そして、共産主義の崩壊に続いて、湾岸戦争、イラク戦争へと向かっていきました。

――しかし、ロシアは今もやはり他国に脅威を感じさせる大国では？

今になってみると、それがまったく馬鹿げているわけでもない。この困難な時代にあって、ロシアは米国のあらゆる力に立ちはだかる唯一の核大国として存在しています。これは奇妙なことなのです。

でも結局、共産主義のロシアはよくなかったけれど、米国のヒュブリス（傲慢）、力の意思に対抗する重しとしてのロシアが存在することはとてもよいことではないでしょうか。

だって、その国の社会的・文化的システムの質がどんなものであれ、一つの国家、一つの国、一つの帝国が世界全体にだれもブレーキをかけない状態で絶対的な力を及ぼすのはよいことではありえないのですから。

米国が唯一の超大国と言われてきたけれども、超大国はたった一つであるよりも二つである方がましです。

米国はヒュブリスの雰囲気の中で、世界の主だという気分で戦略的に信じられない過ちを犯しました。ドイツの再統一を急がせたことです。

東西ドイツ再統一で米国は欧州をコントロールする力を失った

——東西ドイツの再統一は急ぐべきではなかったと？

当時、サッチャー英首相もミッテラン仏大統領も望んでいませんでした。しかし、米国はずっと西ドイツを自分たちのおもちゃのように思ってきた。再統一すればおもちゃが大きくなる……。米国にとってロシアを終わらせることが大事な目的だからです。

けれどもそれがもたらしたのは欧州での均衡の変化です。ドイツは非常に大きな国です。欧州の問題は1900年以来つねに、ドイツが大きすぎるということでした。第一次世界大戦も第二次世界大戦もそれで起きた。英国もロシアも米国もドイツを抑えるために連携した。あの国は大きな人口を抱えるだけでなく、いろんな領域で極めて効率のよい国なのです。

だから米国はある意味で過去の状況を再び作り出し、欧州の問題が再びドイツ問題となったのです。そこにフランスのパニックが加わり、ユーロの導入につながる。それはドイツを支えるためのものだったのです。

結果はどうか。

ドイツは困難な何年かを経て、東を抱え込み、そして8千万人の大国になり、工業国として英仏よりさらにいっそう強い国になった。ドイツはある意味でとても合理的な政策を進め、欧州を再編成し始めました。ドイツは日本と同様の人口動態問題を抱えていますが、その問題を制御する力を再び手にしたのです。

歴史を振り返ると、かつて中欧はドイツの支配圏でした。そこが再びそうなったのです。

米国や英国はバルト諸国やポーランド、ハンガリーなどをNATOに受け入れて、アングロサクソンの支配圏を広げたつもりでいたけれど、実際にはドイツの支配圏が再確立されていった。ドイツの産業界はチェコやハンガリー、ポーランドの経済を再編成し、フランスよりはるかに強くなった。そして豊かになったドイツが２００８年の金融危機（リーマン・ショック）もコントロールすることになった。

そしてドイツは米国に対しても徐々に従うことをやめていっています。まず、イラク戦争で米国に追随するのを拒んだ。米国追随の拒否はフランスが主導したといわれるけれど、実際はドイツが率先し、フランスはそれに従ったまで。当時は私も間違えていましたが、フランスはシュレーダー首相（当時）のドイツが率先しなければ米国に対抗する勇気はなかったでしょう。

貿易でもそうです。米国はドイツが従おうとしないことに気づき、貿易黒字を減らすべきだと主張した。しかしドイツはこれも拒否。結局、米国は冷戦終結から30年の間に欧州をコントロールする力を失ったのです。

結局、参加国が平等な共同体であるはずの欧州連合（ＥＵ）は、ドイツに支配される巨大で階層的に構築されたシステムになったのです。私は、欧州の運命を思うとき、主人公の男が突然虫になってしまうカフカの『変身』を連想します。

欧州は両大戦に続く第三の自壊が起きている

――しかし、30年前を振り返るとドイツの再統一を押しとどめるのは無理だったのでは？

当時、ドイツを再統一させないということは考えにくかった。私も間違えていました。しかし今は、ドイツの再統一は必然だっただろうかと思います。

――当時の東ドイツの現場で取材をしていて、人々の再統一への渇望を抑えるのは無理だと感じましたが。

ドイツ人はとても規律正しい。ドイツは統制のとれる国です。おそらく米国が「ノー」と言えば再統一はなかったはず。その場合、東ドイツは人々が西に行ってしまって大変なことになったかもしれない。でも東ドイツは新たな国となって別のストーリーが展開したのではないでしょうか。米国が阻止するのは可能だったと思います。

――それはドイツ人たちに不自然を強いることにならないでしょうか。

欧州の歴史の大半で、ドイツは分断されていました。ドイツ文明にとってふつうの状態が分断だった。大国も二つできた。オーストリア帝国とプロシア。その他に20ほどの小国。そのうちプロシアの経済力が増して、ドイツを統合していきました。ビスマルクによる三つの戦争でドイツは経済的な発展を続け、かつてなかったほどの大国になったために、それが第一次世界大戦、ナチスの登場、第二次世界大戦になって欧州の自壊を招いたのです。

そして今、欧州にやって来ようとしているのは、大きな危機です。ユーロ圏は破滅的で、南欧州の国々は産業を失い、ドイツは東欧の国々に進出している。東欧の国々は人口動態の危機にある。英国は欧州から逃げ出そうとしている。

――前のように欧州がまた大きな動乱の舞台となる？

欧州ではもう戦争は考えられません。欧州人同士が戦争することは想像できない。争いごとはあっても戦争はしない。しかしそれに代わって経済競争が一種の戦争になりました。

今はどの国もほかの国と経済的には戦争をしているような状態ですが、ユーロ圏の中では激しい。似たもの同士の方が競争は激しくなるものです。さらに南欧諸国の産業の崩壊や南北欧州の不平等の高まり、ルーマニアやブルガリア、バルト三国、ウクライナの人口減少などを考え合わせると、これは第一次世界大戦と第二次世界大戦に続く欧州の第三の自壊が起きているのではないかとさえ思います。

共産主義崩壊で恐れるものが消え、古い資本主義が再登場

——そんな状況にたどり着いてしまったのは冷戦終結の必然的な結果だったのでしょうか。

冷戦終結から30年の今抱くのは、共産主義の崩壊のあと、もっとうまくやることはできたはずだという思いです。今のありさまにはほんとうにがっかりしています。壁の崩壊以後の歴史は不条理です。せっかくのチャンスを逃してしまった。それを思うと泣きたくなります。

共産主義という全体主義システムから暴力もなしに抜け出すことができた。あれはほんとうに魔法のときだったと思います。

けれども、そのことが米国で狂ったようなネオリベラリズムの興隆を進めてしまった。それが不平等を広げ、米国社会の分断、対立をもたらし、トランプ大統領の登場をうながした。

共産主義体制はよい質問への悪い答えでした。よい質問とは何か。資本主義は不平等を広げるが、どうすればいいか、という問いです。その悪い答えの共産主義体制が崩壊したと思っていたら、ある意味で階級闘争というマルクスの論理が再登場しようとしているような状態です。

共産主義はロシア人にとってはひどいものでした。というのも、共産主義は資本主義の後に出てくるという論はロシアではフィクションみたいなものでした。だいたいロシアには資本主義はなかった。あったのはせいぜい資本主義のはしりのようなものでしたから。

戦後、西側で資本主義と社会保障が結びついた幸福なときがありました。それはソ連が強く脅威だったときです。その脅威が西側に資本主義を文明化することを強いたのです。競争相手がいたわけですから。米国のルーズベルト大統領の改革や、フランスの人民戦線、欧州での社会民主主義がいくつか成功したのも、ただただソ連への恐怖からでした。

で、共産主義が崩壊したとたんに、もう恐れるものがなくなった。そして古い資本主義だったものが再登場してきた。ネオリベラリズムといわれているものは、マルクスが批判した当時の資本主義の再来にほかならないのです。

共産主義の間違いは、人間は特定の社会的な条件が整えば完璧な存在になると考えたこと。性善説に基づいた間違いです。人間はひどい存在になりうる。最悪なのはナチズムだけれど、スターリニズムも相当ひどかった。

しかし共産主義が倒れたからといって、すばらしくてよい人々が西側に登場するようになるわけでもないのです。

それに人々は忘れていますが、共産主義の登場にはそれなりの理由があったのです。

共産主義のなかには普遍主義的な理念もあった。文化、進歩、反人種差別……。共産主義の崩壊は普遍主義の後退にもつながったのです。外国人への憎悪などが各地で高まったのはそれほど驚くことではないと思います。

——共産主義体制とともに葬ってしまうべきではないものを見極める必要があったと?

フランスで学生や労働者による激しい異議申し立て運動が起きた1968年、私は高校生でフランス共産党員でした。その年の6月、ドゴール大統領が下院を解散し、選挙になりました。私は党の選挙運動に加わり、毎朝早くからあちこちに選挙ポスターを貼って回っていました。思春期の若者にはものすごく面白い日々でした。ところがある日、私の所属していた党の細胞（支部のこと）の幹部に呼び出されました。「エマニュエル、もういい。君は今日からポスター貼りをするな。それよりバカロレア（大学入学資格試験）の受験勉強をしろ」と言われたのです。彼はルノーの工場労働者で、文化や教育をとても尊重していました。

また、党のシンパの男が党員になりたいと言いました。しかしこの幹部は彼をこう言って批判しました。「党に親近感を抱いてくれるのはけっこうだが、君はアラブ人について ひどいことを口にする。それは人種差別だ。君には党員になる資格はない」。本来の共産主義にはそういうところがあったと思います。

たしかにスターリン体制はひどいものだった。それでも、ナチスをたたき、欧州を解放したのはロシア人たちでもあります。ベルリンの壁が崩壊したとき、西側はそういうことも思い出すべきでした。しかし西側の世界がロシアに対して寛大にならない選択をしました。そのことは、その後に災いをもたらすことになった西側の原罪です。それもあるからロシアはその後、自分自身へのこだわりを強め、権威主義的な民主主義体制になってしまった。

第二次世界大戦後、米国はそうではなかった。欧州でも日本でも経済を助け、きちんと対応した。とてもうまく管理した。寛大な心で。大戦後のドイツに対する米国と同じくらい、西側もロシアに対して寛大であったならと思います。

日本だってこの30年の歴史の中では敗者ですよ。西側に囲い込まれたロシアが中国に

1968年、パリでの学生と労働者のデモ。「五月革命」と呼ばれる

近づき、軍事技術を提供する。それは日本にとって大きな脅威ではないでしょうか。そのことを理解するべきだと思います。

この30年間があらわにしたのは、地政学的な誤りというだけでなく、道徳的な問題なのです。それは大きな教訓だと思います。でも、人類はその教訓に決して学ばないのでしょうね。

２０１９年10月９日、トッド氏のパリの自宅で

聞き手／大野博人

6 家族制度と移民

日本は人口が減り続け、しかも急速に老いている。それにもかかわらず、移民にも出生率の向上にも本格的に取り組んでいるとはいいがたい政治。社会の側にもそれを急がせようという機運があまりない。深刻極まりない危機を前に立ちすくむばかり。なぜだろうか。フランスの人類学者・歴史学者として家族構造と社会・政治の関係を解明し、著書『私たちはいったいどこにいるのか？　人類史の素描』では日本についても多くのページを割いているエマニュエル・トッド氏に聞いた。

日本は新自由主義に囚われている

——日本の少子高齢化問題は深刻度を増すばかりです。それを食い止める動きもにぶい。政府の対策が遅れているだけでなく、社会の関心も問題の深刻度に見合った水準に達していないようです。家族構造の分析というあなたが専門とする視点からはどう見えるでしょうか。

1990年代はじめに初めて訪日したときは驚きました。人々がすでに人口動態の問題について盛んに語っていたからです。

すごい。日本人は同じ問題を抱えている欧州の国々の人たちより意識が高い、と思いました。日本とまったく同じ問題を抱えている欧州の国は多いけれど、そのことについてあまり考えをめぐらせていませんでした。

移民という点で、欧州と日本はちがいます。欧州では、死亡数が出生数を上回って人口が減るときは、移民が入ってきてそれを補います。だから、人口は減らない。古典的な例はドイツ。30年前から人口減は予想されていた。けれどもまだ8200万人の人口を擁しています。外国出身者が徐々に増えているけれども。

日本は問題を強く意識していました。それは良いことだと私は思っていた。この国は取り組みに向けて行動する準備ができている、なんとかするだろうと思っていたのです。その後、16、17回来日しています。1年半に一度くらいの割合で日本に来ています。で、人々はあいかわらず人口動態について話は続けている。それを見ていて、私はこう考えるにいたりました。日本では人口動態の問題は議論のテーマであって、行動のテーマではない。それはとても印象深いことです。日本人は人口動態の危機について、何も行動しないまま、議論し続ける能力があるのですから。

一方で日本人には行動する能力もあります。それを見せる領域もある。デフレ問題について安倍晋三政権は、アベノミクスという欧州から見るととても大胆な金融政策に取り組みました。

ところが人口動態問題となると、女性の労働市場進出を促しながら、それにともなう政策はお題目くらい……。問題は、女性が働くと彼女たちは子どもを作れなくなるという現実。女性が労働市場に参入するための、政府のあらゆる施策は射程が短く、長期的には人口動態危機をより深刻にしているばかり。


取り組まなければならない課題は、子どもを持てるかどうか。その点で、日本は経済優先の罠にかかっている、奥底で新自由主義思想の囚われ人になっているという印象を持ちました。

シンプルに考えてみましょう。まず社会というものをよく見てみる。家族がいて、子どもを作り育て、教育する。子どもはいろいろなことを学び、働くようになる。でも、それは経済活動ではない。

人口動態危機の原因というのはかなり単純です。だれにでもわかる。日本だけに特殊な事情があるわけではない。ドイツも同じ問題を抱えている。スペインやイタリアも。

こうした問題がないのは北西欧州の国々。英米にもない。

こういう風に要約できます。女性1人あたり子どもがだいたい2人という十分な出生率の国、フランスや米国ですが、それは女性の地位が高い国々です。男女間の関係が平等で、女性は学校で学べるし、職業上のキャリアも積み上げることができるし、子どもを作ることもできる。

もっと父系社会の文化を持ち、遺産の相続で長子が特権を持つ直系家族社会の国ではあっても日本は、男尊女卑というわけではありません。中国やアラブ世界とはちがう。けれどもそれでも女性と男性の地位には大きなちがいがある。

たしかに女性は高等教育を受けることもできるし、職業上のキャリアを積み上げることもできる。けれどもキャリアを積もうと思えば、子どもを作れない。あれかこれかの二者択一というわけです。女性にあるのは、男性になる権利と言えるかもしれない。

ちゃんと目を向けないといけないのは、出生率がとても高いわけではないけれども理にかなったレベルになっている国では、それを可能にしているのが人々の姿勢だけではないということです。制度的な仕組みが整備されている。

フランスや北欧の制度は、要するに保育園や幼稚園を作り、初等教育から高等教育まで無料、あるいは安価にするというモデルです。つまり家族は支援される。法律によって、女性も男性も産休をとることができ、そのあとも職場に復帰できる。子どもが生まれて最初の数年は、雇用も保障される。社会、法律、国家がみんなで女性をより尊重する基本的な価値を実現する。魔法ではないのです。

英米はもう少し不思議です。国家はあまり人々を助けない。けれども出生率は低くない。一般的に見られるのは、貧しい層ほど子だくさんになるということ。高等教育を受けた女性ほど出産する子どもは少ない。日本も抱えるジレンマです。

ただ、それが変わりつつある。米国では、高等教育を受けた女性の出生率が上昇しているると指摘する研究がある。私には、そこにどんな仕組みが働いているのかわからないけど、そこにも魔法があるわけではないでしょう。

日本はまず、こうした国々の事例を研究するべきでしょう。それらの国では、出生率はかなり低い水準にまで落ち込んだりはしていない。指標が落ちることは時々あった。けれども出生率が2よりも下がることはなかった。ロシアには、子どもを生み出す力が崩壊した時期があった。けれどもそれは回復している。日本とは逆です。ロシアは直系家族の社会ではない。とてもアンビバレントな社会です。

フランスや英米の家族形態の基本は核家族。そこに存在する唯一の構造は夫婦です。だから女性の地位も高い。男が一人だけで女も一人だけならば、当然ながら男は女を恐れる。

北欧の国々では、すこしバリエーションがあります。デンマークは核家族。スウェーデンは直系家族だけれど、女性の地位が高い。

日本やドイツは直系家族です。このシステムでは一般的に農家や職人の家庭でそれぞれの世代の長男が家を継ぐ。しかし、男性の優位が絶対ではない。というのも長男以外の息子も娘たちのように扱われるからです。中国にもよく似た家族システムがあります。共同体的家族あるいは父系家族。農家の家族は父親とその息子たちを軸に構成され、ただすべての男性が同等に扱われる社会です。そして男性たちは女性たちより優位に置かれる。したがって男性たちにとっては平等であるけれど、それは女性たちを除外したうえでのことです。

中国では女性の子どもの中絶がまた始まっています。ふつう出生時の男女比は、女の子が100人に対して男の子が約106人。ところが近代化が進みつつある中国で、女の子100人に対して118人の男の子が生まれています。中国は今、とても古い父系社会のシステムに戻りつつあります。それは日本にはありません。韓国にはある時期存在しました。

ロシアはというと、とても特殊。なぜならロシアの19世紀の農民家族を見ると、巨大な父系社会だということがわかる。けれども、ロシアでは女性の地位がとても低かったことはありません。それは夫と妻の年齢の開きで見ることができます。19世紀の農民社会の中でさえ、自分の夫より年上の女性は多かった。若くして結婚するのだけれど、たとえば18歳の女性が16歳の男性と結婚している。思春期において男性の精神年齢は女性より3歳低いということを考えると、ロシアのシステムは男性支配のシステムではないのでしょう。

ロシアの場合、共同体的なシステムはかなり最近になって形成されたのではないか、と私は考えています。ロシアの歴史家は、16世紀にはまだ核家族だったと見ています。ロシアの共同体的システムはむしろ19世紀ごろに登場しているのでしょう。教育統計を見てみると、いまは女性の方が男性よりレベルが高い。

女性の社会進出が最も進んでいるのはスウェーデン。フェミニストの国と言えます。

スウェーデン人にとって、フェミニズムはアイデンティティーの一部なのです。世界で最も女性を尊重する国であることを誇りに思っている。

そのすぐ後に続いているのがロシアです。ロシアの女性はとても教育レベルが高い。女性の地位が高い。

ロシア人が日本人とちがうのは、人口動態危機についてただ語っているだけではなかったということです。行動したのです。プーチン大統領と安倍首相の演説を比べてみるといいでしょう。安倍首相の演説の中にも人口動態の話は入っているかもしれない。けれども、そのための手段についてはほとんど触れられていないのではないですか。少なくとも中心的なテーマではないでしょう。けれど、プーチン氏の演説をみると、人口動態は常にその核にある。

ロシアが国家戦略を考えるとき、まず人口動態を考えているのです。それはマルクス主義の置き土産かもしれない。それに対して、日本は新自由主義経済の考え方の犠牲になっている。経済をあまりに重視している。経済を重視しすぎると、長期的な視点を見失います。

人は労働力になる前に、生まれ、教育を受けなければならない、という事実を忘れてしまっている。ロシア人はもうマルクス主義者ではない。彼らは共産主義を壊しました。しかし、長い歴史という時間軸でものごとを考えている。そうやって考えれば、人口動態に考えがおよぶ。とても興味深い。

「直系家族のゾンビ」

——日本の直系家族社会という面は近代化がこれだけ続いていても残っているものなのですか。日本の社会も大都市に典型的なように、今では核家族が主流のように思いますが。

まず、過去の直系家族社会について見ておきましょう。まず直系家族社会があり、最近になって近代化したと思われているかもしれない。しかし人口学者の速水融氏の論文を注意深く読むと、日本の場合、直系家族というシステムはゆっくりと、曲折を経ながら登場してきたことがわかります。長子相続の最初の事例の形跡が見られるのは鎌倉時代。武士階級に登場しました。その後、富裕な農家に広がっていった。農民や僧侶たちの反乱の時代、15世紀ごろ、直系家族の要素はあったと思う。しかし、日本の文化は深いところで個人主義的でアナーキーだったのではないでしょうか。

直系家族の要素がすこしずつ根付き、その頂点に達したのは明治だと思う。皇室も長子相続の規範を引き受けました。それまでは、そうではなかったのです。

直系家族というシステムの成熟の時期は、まさに日本にとって近代化を開始する時期と重なりました。

日本の近代化や都市化は、社会的ヒエラルキーや秩序、規律といったことが、かつてないほど強くなった時期に起きました。そこに神秘がある。

これについて私は、「直系家族のゾンビ」という概念を使いたいと思います。一つの歴史的形態が消えつつあっても、それがあった場所、人間関係の間に、その価値観は残り続けるのです。

――日本の場合、近代化には直系家族システムが必要だったのですか。

直系家族というのは、能力を次世代に伝えるためのシステムです。その点でとても効果的です。直系家族の国々は産業革命を起こした国々ではない。他方、核家族はものごとを変えることに長けている。

しかし、直系家族はいったん競争を始めると、もっとうまくやる。ドイツや日本がそうです。ドイツは離陸すると、数年で英国よりも強国になった。それが第一次世界大戦にもつながっていく。明治からの日本の離陸も恐るべきものだった。

しかし問題は、直系家族はすでに発明されたシステムやテクノロジーの適用や完成には優れているとしても、構造全体の断絶を生み出すこと、つまりシステムを変えるということにはかなりの困難に直面します。

たしかに直系家族は、明治になる前にもうまく組織化された農村社会を生み出したし、農業をできうる限り効率的にしました。

欧米からの脅威がないままであれば、社会はそのまま変わらずにいたでしょう。そうした時期は歴史の中に何度も出てきます。直系家族というのは、生産活動を難なく遂行し続ける。けれども、方向を変えるときは大変な難しさに直面する。直系家族の形態が完璧であればあるほど難しくなる。

日本では、農村の家族の形態が消えても直系家族が持っている価値観は生き残った。そう考えてみると、今の状況をうまく説明できます。

日本は今、たぶんもっとも近代的な国です。でも、その方向を変えることができないでいるのです。

島国のアイデンティティー

――移民を嫌うというのも、直系家族社会の価値観から来るのでしょうか。

日本の場合、それは直系家族だけに起因するわけではないと思います。日本とドイツは直系家族という点では同じ。産業の歴史も似ている。出生率の指標も似ている。

でも、ちがいもある。ドイツは欧州の真ん中にある。そこから離れるわけにはいかない。ドイツの人々は、自分たちが混じり合っていることを知っています。

ドイツ人たちは、自分たちのルーツがケルトだったりスラブだったりすることをわかっています。ドイツ人たちが自分たちこそ真のゲルマン民族だ、などと思ったのはナチスの時代だけ。

けれども、日本人は自分たちが日本人だと想像することができる。それは幻想ですが、日本は島国だからと、その考えを擁護することができます。

私が最初に日本に来て、強く印象づけられたのは、容貌のタイプがかなり多様だという点です。私が見るところ、日本人同士で互いによく似ているとは思えない。みんな同じような顔をしているわけではない。あきらかに多様な人たちが混じり合っています。鼻が低かったり高かったり、長い顔もあれば丸顔もある。欧州の人々と同じように多様です。

日本が数世紀にわたって孤立して生きてきたというのはその通りです。徳川幕府による鎖国のときも世界から離れて生きていました。しかし、世界から離れながらも、最初の経済的な離陸には成功した。日本は、自分はたったひとりでも生きていけると思うことができたのです。

歴史を見てみると、世界から切り離されながら、日本の歴史はほんとうに欧州の歴史によく似ている。もし私が若くて日本語のわかる歴史家であれば、日欧で呼応する出来事の一覧表を作ろうとしたでしょう。直系家族の登場、まあ日本の方が少し早いけれど、それから同じリズムで直面することになった宗教的な危機。ドイツの場合、遅くなったけれど、それはプロテスタントの改革として表れた。日本では浄土真宗などの新しい潮流が生まれた。

日本は、自分が島国だという事実から、自分たち自身であり続けたいと望むことが許されるように感じているのです。

直系家族ということについても、ドイツと日本にはちがいがあります。結婚のルールに関して、です。ドイツの場合、キリスト教の伝統に関係していて、いとこ同士の結婚はきびしく禁止されています。他方、日本の場合、人々はたいていい親族の外の人と結婚する。けれども、同時にいとこ同士の結婚にも寛大で受け入れています。

第二次世界大戦終結直後、いとこ同士の結婚は10%にも上りました。内婚というのは閉鎖的な姿勢です。私はこの内婚制が古い伝統だとは思わないけれど、一般に、特殊な生産技術を発展させた村などでは、その事例が見られます。外に対して閉鎖的になることで、その技術を守ろうとするのです。

それは、日本の大企業の精神の中にも見いだすことができるのではないですか。そして、それがちがいを作りもした。

日本と韓国を比較してみましょう。韓国も直系家族ですが、ドイツのように外婚制です。だいたい、韓国にはキリスト教徒が多い。日本より移民も多い。日本よりも深刻化しそうな人口動態問題を抱えている。しかし、韓国人にとって、移民は日本ほど問題ではないでしょう。中国国内に朝鮮人もたくさんいるし、その韓国社会はやがてすべての北朝鮮の人たちも取り戻していくでしょう。

最初、私は移民が良いことだと勧めたかった。だけど、今は日本が抱える問題を理解することもできます。

フランス人の振る舞いは日本人とは対照的です。私はパリから来ましたが、途中通った北駅界隈には信じがたいほどの割合で、アフリカ系の人たちに出会います。アラブ系の人たちはどこに行ったのかと思うほど、たくさんいる。でも、そのことでだれも頭にきたりはしない。地方には右翼勢力の運動もあるけれど、パリでは、世界中の人々が交じり合っている。心理的にそれが問題をもたらしているわけでもない。アフリカ系の女性はしばしばフランス人と結婚する。米国よりもそれはずっと多い。

フランス人の基本姿勢からすると、移民を拒む日本人のことはどう見えるか。もし多少礼儀正しいフランス人なら、「日本人は外国人が好みではない」と言い、ぶしつけなやつなら「日本人は人種差別主義者だ」と言うでしょう。

私は人類学者として、フランスにも問題はあるとわかっていますけれどね。移民の受け入れがちょっと早すぎるということです。移民は問題かどうかということについて、私は、前ほどは楽観主義者ではありません。

他方、日本を知るにつれ日本文化に基本的な特徴があるということがわかってきました。個人間での極端な礼節です。日本人同士の中で暮らすときの技術です。他人に迷惑をかけない。それはそれでたしかに価値のあることです。

けれども、私はそれほど礼儀正しくない国の人間です。このことを移民について当てはめて考えてみましょう。日本のような国に移民が大量に入ってくると、それは礼節という文化が危機にさらされることになります。フランスでは話はもっと簡単。だってフランスではもともとフランス人同士でもぞんざいだから。失うものなどないのです。

日本人は特殊な問題を抱えていると思う。それは日本人が人種差別主義者だというのではなくて、日本人なりの暮らし方があるせいだと思います。ただ、それはそれでもっと深刻な問題でもあります。

移民の問題は男女の関係に似ている

──それにしても外国人の受け入れを拒む姿勢には行きすぎを感じます。

ただ移民を拒むといっても、実際には不可能でしょう。それに現実には日本でも移民は始まっています。人口は減りだした。全体としては大したことはなさそうに見えるかもしれない。しかし地域別に見てみましょう。東京はますます国のエネルギーと若さを取り込んでいる。しかし、かなりの速度で人口減が進む地域は増えている。

フランス人も東京にやってくると、見た目は問題がないように感じます。パリより近代的だし、もっと清潔だ。もっとダイナミックでもある。30年も先に進んでいるような印象を持つ。そのあと、地方に行ってみる。東京からそれほど遠くないところ。たとえば下田（静岡県）。私はそこで、空き家やさびたシャッター、古ぼけた家財など、フランスの地方にはないようなものを目にしました。この国のエネルギーが集中しているところから出たとたん、老化、老朽化、荒廃しているものを目にすることになります。

実際、私は数字で確かめてみました。健康・医療分野では高齢者の介護に移民が入っている。私は経済より先に人口動態のことを考えるべきだと言い続けてきました。けれど、いったん人口動態危機に陥ると、経済というマシンは、その論理に従って動く。必要ならば労働力を呼び込むのです。

私は、日本人が人口動態について語るだけで、何もしないということにいらいらしています。けれど、今起きているのは、移民の流入が始まっているのに、日本人は、移民は受け入れられないと言い続けているのです。現実と切り離された意識があるのでしょうね。

――日本人は今の自画像を描くのがとても苦手なのかもしれません。

日仏の世論調査を見ると結果に大きなちがいが見られます。

フランス人の夢は、引退して年金で貴族のように暮らすことです。日本人はというと、働き続けることは健康に良いと考えている。それは良いことだとしても、解決策ではありません。

だから、左派の新聞の記者であるあなたは人々が理性的な意識を持つべきだと望んでいるのでしょう。人々が移民について自問し、それが必要だと認め、ちゃんとこの問題に向き合うべきだと望んでいる。あなたは、理性的な意識によって歴史の方向をきちんとつかみ、深く考えるというフランス革命の精神の中にいると言えるでしょう。

でも別の可能性もある。だれも深く考えないうちに、移民がすっかり広まってしまうことです。いわば、移民は嘘の中で始まるのです。日本人は、移民はいないと信じて、それに悩みもしない。しかし、移民の子どもたちは日本の学校に通い、小さな国民になっていく。その子たち自身も、自分はもとから日本人だと信じるようになる……。それは結構なことではないですか。

私の叔父がかつて言ったことを思い出します。彼はこう言ったのです。

「いいかい、男と女の関係が目指すのは、理解し合うことなんかじゃない。わかり合うことだ」。頭でちゃんと理解しなくても、ものごとがうまくいくということが必要だ。そこには偉大な知恵があります。複雑なことは理解しようとするともっと複雑になる。移民の問題も男女の関係に似ていると思いませんか。

問題は移民か経済か

——しかし、それではフランスのように移民労働者が社会問題化することになるのでは?

ちがいます。フランスで問題だったのは、移民の受け入れではありません。国民経済の行き詰まりです。

フランスで外国人を受け入れたとき、フランス人たちが移民と結婚する率はすぐに跳ね上がりました。フランスの男にとって大事なのは、女性が移民かどうかではない。基本的な基準は、彼女が魅力的かどうか、です。フランス文化とはそういうものです。

しかし、経済のマシンはフランスで行き詰まって問題を起こした。それは政治的決定がまずかったからでもあります。このことが10％という構造的な失業率をもたらしました。

日本は労働力を必要としている国です。だから、日本に来る移民たちは経済のマシンによって統合されていくことになるでしょう。

——経済的には統合されるとしても日本社会という共同体の中に簡単に統合されるでしょうか。

社会的な統合はすぐには進みません。

人々の出自はなかなか忘れられないものです。直系家族社会は、系譜について強く意識します。当然、それは移民にとってよいことではありません。

一方、核家族の強みは、人々の出自についてすぐに忘れることにあります。ただ直系家族の社会が同化に不向きだというわけでもありません。ドイツは、その歴史を通じて外から来た人を同化させる高い能力を示してきた社会です。

17~18世紀にかけて、プロシアの偉大さを築いた人々の中には、フランスからのプロテスタント移民（ユグノー教徒）もたくさんいた。ドイツの電話帳をながめてみると、信じられないほど多くのスラブ系の名前もあります。このプロシア人たちは、その大半がスラブ系だというのに、スラブ人は劣った民族だとみなしながら、ロシアとの戦争に参加しました。忘れる能力というのもあるのです。

日本による朝鮮の植民地支配について調べると、日本の政策は同化主義でした。日本人は朝鮮人を日本人にすることを夢見ていました。だから韓国人はこのことについては感情的にもなる。

しかし、この点は移民政策については良い診断にもつながる。つまり、日本は自分自身に閉じこもっているしかない国というわけではないということを意味するからです。あるとき、移民についてのシンポジウムがありました。そのころ、私はあなたと同じように考えていました。で、こう話を締めくくった。

「これはほんとうに問題です。ものごとをよりちゃんと意識しないといけない。そのために天皇がこの問題について意見を表明するべきだと思います。明治のときと同じような革命が必要だと。前は産業革命だった。今度は移民だ」と。

ただ、もし移民が経済のマシンにとってほんとうに望ましいとするなら、移民たちはよろこんで日本人になるでしょう。愛国者になるでしょう。

唯一勧めたいことがあるとすれば、受け入れるならアジア人がいいだろうということです。彼らは、自分が日本人ではないことを早く忘れることができるでしょう。

こうして見ると、日仏には相反する状況があるようです。フランス人は他者を受け入れる十分な才能がある。出自は気にしない。米国人のように人種差別的でもない。しかし、フランスの問題は経済が行き詰まっているということです。どうしていいのかわからない。

日本では、人々は移民のいる社会という考え方があまり好きではない。しかし経済が移民を必要としている。そして移民がやってくれば役に立つ。

社会統合という点で、どちらの方がいいのでしょうか。

移民を気にしないけれど、どうしていいかわからない国と、移民を望まないけれど来れば活用できる国と。

移民を受け入れるためにも出生率の向上を

——日本の場合、移民たちは安価で働かされ、さらに犯罪者予備軍のようにもみなされることさえあります。

移民の受け入れについて一般解は提案できません。どう考えるかということについて、日本には複数の可能性があります。

わかっているのは、日本人は移民がいやで、自分たちだけで暮らしたいということ。最初に傾きがちな姿勢は、移民をあやしい人たちとみなす、というものです。でも、その次には、移民はとても役に立つということに気づきます。日本は移民を必要としている。移民がいる地域では、それが思っていたよりうまくいくことがわかるようになるでしょう。日本の歴史の中にも、植民地時代のように他者を同化しようとする時代があったのですから。

これは直系家族の基本的なパラドックスです。直系家族はもはや存在しない。しかしその基本的な価値観は残る。人間は異なる。そういう考えは、外国人嫌いや自民族中心主義につながります。

しかし、直系家族の社会にはこんな考え方もあります。過去をたどれば先祖は同じ。つまり直系家族は、統一の夢も持ち続けている。それは家族国家という考え方です。

私にとってとても印象深いのはドイツの例です。ドイツは近代でもっとも深刻な人種差別危機をもたらした。ナチズム、ユダヤ人の虐殺、あらゆる人々の階層化……。一番上にいるのはドイツ人であり、下の方にいるのはユダヤ人やスラブ人、フランス人も。しかし、ドイツは今、移民を最も受け入れている国です。中流階級が、シリアなどから来る同化の難しい移民たちを受け入れるのはすばらしいことだと考えている国です。政治的な反発はそれほど大きくはなかった。だれもがドイツでの右翼の台頭を語ったけれども、右翼政党ＡｆＤ（ドイツのための選択肢）への支持率は12・５％にとどまっています。難民がいる地域でも10％だけです。

フランスでは右翼政治家のマリーヌ・ルペンの支持率は33％。ドイツは、その人類学上の構造によって宿命づけられてはいないのです。今、欧州で最大の移民受け入れ国は、直系家族の国なのです。

だから、日本も移民受け入れができない国だと決めてかかる必要はありません。

日本は閉じた国だというわけではない。日本文化には別の次元もある。世界中のあらゆる技術、あらゆる嗜好を取り入れる能力を持っている。私はパリの中で、ありふれた地区に住んでいる。あまりいいレストランはないのだけれど、最近いい店を３軒見つけました。その3軒のシェフは日本人です。そのうちの一人はフランス語もとても上手です。彼を見ると、日本人は普遍的なものを追求する能力があると思う。

日本人は自らを過小評価してはいけません。それは自分自身への信頼の問題です。移民は日本をすばらしい国だと思っているのです。日本人はそのことを理解するべきです。やってくるのは敵としてではなく、称賛者としてなのだということを。日本に来ると、人は日本をすばらしいと感じる。敵対心を持つわけではない。日本人自身も自国が外の世界に適応する能力を示してきたことを思い出すべきです。

（移民に対してのように）自分たちだけでいたいという閉鎖的な夢、それが現に今あるとしても、それだけがあるわけではない。たとえ、自らを閉じてしまいたいという夢にとらわれているにしても、もう一つの現実は、外への開放です。

その両方が日本にはあるのではないですか。相反する二つのことは実はとても近い。真実の逆は、すでに真実に近いところにあります。

けれども少し付け加えなければなりません。人口動態危機の解決策は、移民だけではないということです。移民を統合するには日本人自身の子どもも必要です。

移民政策は決して出生率対策の代わりにはならない。最も優先するべきは、やはり女性が快適に働き、子どもを産むことができる政策です。日本の問題はそこにある。移民の問題以上に、出生率の方に大きな問題があると思います。その両方の解決が必要です。

子どもが生まれなくなっているのだから、移民で埋め合わせようという議論がある。でも、それは難しいし危険です。移民を統合するためにも子どもは作らなければ。それがほんとうの知恵です。

そして政府は、出生率の上昇を促すために莫大なお金を費やして貧しくなるような気がするとしても、実はそれは未来に向けて豊かになりつつあるのだということを理解しなければなりません。

現在において豊かになるための経済財政政策を進める国は、将来に向けて貧しくなる。社会が出産と子どもの教育に投資することこそが長期的に見返りのある投資なのです。

2018年5月15日、東京都内にて
聞き手／大野博人

あとがき

本書は、フランスの人類学者、歴史学者であるエマニュエル・トッド氏のインタビュー集である。2018年から朝日新聞、AERA、論座に掲載された6回分をまとめた。また、米国での新大統領への政権移行について出版直前の21年1月にもインタビューを行い、第1章に追加した。

ネット上のメディアである論座は別として、新聞と週刊誌のAERAは紙の媒体であり、紙幅に制限がある。インタビューの内容をすべて紹介することができない。しかしやむなく省略した部分にも、しばしば豊かな内容がある。取材記者には、掲載しきれなかったテーマや分析、あるいはトッド氏の独特の語り口なども伝えたいという思いが強い。

本書にはそうした部分を盛り込んで、各インタビューの大半を紹介することにした。したがって、内容は元の記事の数倍の分量になっている。トッド氏の見解をより詳しく知りたい読者の手がかりになれば幸いである。

トッド氏は人類学や歴史学の分野で多くの優れた業績を残している研究者だ。時事問題の分析もその研究で蓄積された膨大なデータや鋭い視点に裏打ちされている。だから日本でもその発言に常に関心が寄せられるのであろう。

それは、日々、出来事に追われている記者にとっても同じだ。トッド氏と話し、その射程の長い考え方に触れることは、自らの視点を相対化する絶好の機会である。それゆえに、大きなニュースをどう読み解くべきか迷うたびにインタビューを重ねることになった。

最後に、本書の出版を快諾していただいたことについてトッド氏に深く感謝したい。また、編集を担当した朝日新聞出版の宇都宮健太朗氏と大﨑俊明氏にも謝意を表したい。二人の提案と熱心な取り組みが記者たちにとって大きな力となった。

2021年2月

大野博人

初出一覧

1　「AERA」2021年１月11日、１月18日

2　「AERA」2020年８月17日

3　「朝日新聞」2020年５月23日

4　「朝日新聞GLOBE」2019年４月７日

5　「論座」2019年11月８日

6　「朝日新聞」2018年７月18日

上記に大幅な加筆修正をおこない書籍化した。

エマニュエル・トッド
1951年、フランス生まれ。歴史家、文化人類学者、人口学者。家族制度や識字率、出生率に基づき現代政治や社会を分析し、ソ連崩壊、米国の金融危機、アラブの春、英国EU離脱などを予言。主な著書に『グローバリズム以後』『世界の未来』〈共著〉（ともに朝日新書）『大分断』（PHP新書）、『エマニュエル・トッドの思考地図』など。

朝日新書
807

パンデミック以後（いご）

米中激突と日本の最終選択

2021年2月28日第1刷発行

著　者　エマニュエル・トッド
聞き手　大野博人、笠井哲也、高久 潤
発行者　三宮博信
カバーデザイン　アンスガー・フォルマー　田嶋佳子
印刷所　凸版印刷株式会社
発行所　朝日新聞出版
〒104-8011　東京都中央区築地5-3-2
電話　03-5541-8832（編集）
　　　03-5540-7793（販売）

Published in Japan by Asahi Shimbun Publications Inc.
ISBN 978-4-02-295115-1
定価はカバーに表示してあります。

落丁・乱丁の場合は弊社業務部(電話03-5540-7800)へご連絡ください。
送料弊社負担にてお取り替えいたします。

朝日新書

読み解き古事記　神話篇

三浦佑之

「古事記神話は、日本最古の大河小説だ！」ヤマタノヲロチ、稲羽のシロウサギ、海幸彦・山幸彦など、古事記研究の第一人者が神話の伝える本当の意味を紐解く。イザナキ・イザナミの国生みから、アマテラスの子孫による天孫降臨まで、古事記上巻を徹底解説。

妻に言えない夫の本音
仕事と子育てをめぐる葛藤の正体

朝日新聞「父親のモヤモヤ」取材班

男性の育児が推奨される陰で、男性の育休取得率いまだ7%。なぜか？　今まで通りの仕事を担いつつ、いざ育児にかかわれば、奇異の目や過剰な称賛にさらされる。そんな父親たちが直面する困難を検証し、子育てがしやすい社会のあり方を明らかにする。

学校制服とは何か
その歴史と思想

小林哲夫

制服は学校の「個性」か？「管理」の象徴か？　かつて生徒は校則に反発し服装の自由を求めてきた。だが昨今では、私服の高校が制服を導入するなど、生徒側が自ら管理を求める風潮もある。時代と共に変わる「学校制服」の水脈をたどり、現代日本の実相を描く。

文化復興　1945年
娯楽から始まる戦後史

中川右介

8月の敗戦直後、焦土の中から文化、芸能はどう再起したか？　75年前の苦闘をコロナ後のヒントに！「玉音放送」から大みそかの「紅白音楽試合」までの139日間、長谷川一夫、黒澤明、美空ひばりら多数の著名人の奮闘を描き切る。群像劇！

疫病と人類
新しい感染症の時代をどう生きるか

山本太郎

新型インフルエンザ、SARS、MERS、今回のコロナウイルス……近年加速度的に出現する感染症は、人類に何を問うているのか。そして、過去の感染症は社会にどのような変化をもたらしたのか。人類と感染症の関係を文明論的見地から考える。

教員という仕事
なぜ「ブラック化」したのか

朝比奈なを

日本の教員の労働時間は世界一長い。また、教員間のいじめが起きたりコロナ禍での対応に忙殺されたりと、労働環境が年々過酷になっている。現職の教員のインタビューを通し、現状と課題を浮き彫りにし、教育行政、教育改革の問題分析も論じる。

ルポ トラックドライバー

刈屋大輔

宅配便の多くは送料無料で迅速に確実に届く。だが、IoTの進展でネット通販は大膨張し、荷物を運ぶトラックドライバーの労働実態は厳しくなる一方だ。物流ジャーナリストの著者が長期にわたり運転手に同乗取材し、知られざる現場を克明に描く。

坂本龍馬と高杉晋作
「幕末志士」の実像と虚像

一坂太郎

幕末・明治維新に活躍した人物の中でも人気ツートップの坂本龍馬と高杉晋作。生い立ちも志向も行動様式も異なる二人のキャラクターを著者が三十余年にわたり蒐集した史料を基に比較し、彼らを軸に維新の礎を築いた志士群像の正体に迫る。

いまこそ「社会主義」
混迷する世界を読み解く補助線

池上　彰
的場昭弘

コロナ禍で待ったなしの「新しい社会」を考える。ベーシックインカム、地域通貨、社会的共通資本――かつて資本主義の矛盾に挑んだ「社会主義」の視点から、いまを読み解き、世界の未来を展望する。格差、貧困、マイナス成長……資本主義の限界を突破せよ。

アパレルの終焉と再生

小島健輔

倒産・撤退・リストラ……。産業構造や消費者の変化で苦境にあったアパレル業界は、新型コロナが息の根を止めた。このまま消えゆくのか、それとも復活するのか。ファッションマーケティングの第一人者が、詳細にリポートし分析する。

でたらめの科学
サイコロから量子コンピューターまで

勝田敏彦

「でたらめ」の数列「乱数」は規則性がなく、まとめられないことにこそ価値がある。サイコロや銅銭投げにはじまり今やインターネットのゲーム、コロナ治療薬開発、量子暗号などにも使われる最新技術だ。この優れものの知られざる正体に迫り、可能性を探る科学ルポ。

不思議な島旅
千年残したい日本の離島の風景

清水浩史

小さな島は大人の学校だ。消えゆく風習、失われた暮らし、最後の一人となった島民の思い――大反響書籍『秘島図鑑』（河出書房新社）の著者が日本全国の離島をたずね、利他的精神、死者とともに生きる知恵など、失われた幸せの原風景を発見する。

朝日新書

絶対はずさない おうち飲みワイン

山本昭彦

ソムリエは絶対教えてくれない「お家飲みワイン」の極意。ワインは飲み残しの2日目が美味いなどの新常識で、ワイン選びに迷わず、自分の言葉でワインが語れ、ワイン会を主宰できるまでの5ステップ。読めばワイン通に。お勧めワインリスト付き。

女系天皇
天皇系譜の源流

工藤 隆

これまで男系皇位継承に断絶がなかったとの主張は、明治政府の創出だった！『古事記』『日本書紀』の天皇系譜に加え、考古学資料、文化人類学の視点から母系社会系譜の調査資料をひもときながら、日本古代における族長位継承の源流に迫る！

陰謀の日本近現代史

保阪正康

必敗の対米開戦を決定づけた「空白の一日」、ルーズベルトが日本に仕掛けた「罠」、大杉栄殺害の真犯人、瀬島龍三が握りつぶした極秘電報の中身――。歴史は陰謀に満ちている。あの戦争を中心に、明治以降の重大事件の裏面を検証し、真実を明らかに。

20歳若返る食物繊維
免疫力がアップする！ 健康革命

小林弘幸

新型コロナにも負けず若々しく生きるためには、免疫力アップが何より大事。「腸活」の名医が自ら実践する「食べる万能薬」食物繊維の正しい摂取で、腸内と自律神経が整い、免疫力が上がる。高血糖、高血圧、肥満なども改善。レシピも紹介。

分極社会アメリカ
２０２０年米国大統領選を追って

朝日新聞取材班

バイデンが大統領となり、米国は融和と国際協調に転じるが、トランプが退場しても「分極」化した社会の修復は困難だ。取材班が1年以上に亘り大統領選を取材し、その経緯と有権者の肉声を伝え、民主主義の試練と対峙する米国の最前線をリポート。